DANGEREUX PLAISIRS

MOLLY WEATHERFIELD

DANGEREUX PLAISIRS

traduit de l'américain par
Danièle MOMONT

ARCHIPOCHE

Ce livre a été publié sous le titre
Carrie's Story
par Cleis Press, San Francisco, 1995.

www.archipoche.com

Si vous souhaitez recevoir notre catalogue
et être tenu au courant de nos publications,
envoyez vos nom et adresse, en citant ce livre,
aux Éditions Archipoche,
34, rue des Bourdonnais 75001 Paris.
Et, pour le Canada,
à Édipresse Inc., 945, avenue Beaumont,
Montréal, Québec, H3N 1W3.

ISBN 978-2-35287-610-6

« Passion et expression ne sont guère séparables. La passion prend sa source dans cet élan de l'esprit qui par ailleurs fait naître le langage. Dès qu'elle dépasse l'instinct, dès qu'elle devient vraiment passion, elle tend du même mouvement à se raconter elle-même, que ce soit pour se justifier, pour s'exalter, ou simplement pour s'entretenir. »

Denis de Rougemont,
L'Amour et l'Occident

1

Jonathan

Je suis l'esclave de Jonathan depuis un an environ, lorsqu'un beau jour il m'annonce qu'il a décidé de me vendre aux enchères. Je serais bien en peine de réagir alors, car je suis en train de lui lécher consciencieusement les testicules – en veillant à lui offrir ce qui l'électrise le plus. J'attends qu'il me demande d'introduire ma langue serpentine dans son anus – le moment venu, il me l'ordonnera en tirant légèrement sur la chaîne attachée à mes mamelons ; tel est notre signal. Je travaille bien, je crois. Sa queue devient très grosse, il l'enfonce tout au fond de ma gorge, où il jouit abondamment sans cesser de tirer sur ma chaîne. J'avale, puis je soupire en frissonnant. D'une main ferme, il a maintenu ma tête baissée, ne relâchant à présent que peu à peu sa pression, afin que je me repose entre ses cuisses.

Ce n'est que plus tard, après que je lui ai apporté du thé et des toasts beurrés, puis que, agenouillée en silence, je patiente à ses pieds tandis qu'il parcourt les suppléments littéraires du *New York Times* et du *San Francisco Chronicle* (de temps à autre il me caresse les cheveux et me présente, du bout des doigts, de petits morceaux de pain grillé), qu'il consent à me fournir quelques précisions.

— As-tu entendu ce que je t'ai dit tout à l'heure, Carrie ?

— Oui, Jonathan.

Conformément aux règles qu'il a établies, je m'adresse toujours à lui avec déférence, en l'appelant par son prénom. Je dois aussi le regarder droit dans les yeux.

— Mais je n'ai pas saisi de quoi il était au juste question, Jonathan.

— Habille-toi. Nous sortons. Je t'expliquerai.

— Oui, Jonathan.

Il ôte mes pinces à mamelons, puis attache une laisse en cuir au collier que je porte autour du cou. La laisse pendre entre mes seins. Il la passe entre mes jambes, l'enroule autour de ma taille avant de la nouer dans mon dos. Il me répète souvent qu'il aimerait me sortir au bout d'une laisse, mais ce serait le scandale assuré. C'est pourquoi il procède de cette façon. Le cuir se tend contre mon sexe. Je porte un jean, un gros pull à col roulé, ainsi que des bottes à hauts talons. De quoi cacher aux yeux des passants la laisse aussi bien que le collier – mais pour ma part, je n'oublie jamais leur présence. Jonathan s'est habillé pendant que j'apportais le thé, après quoi je l'aide à enfiler ses bottes et lui mets son blouson de cuir, que je suis allée chercher dans le placard.

Nous ressemblons à tous les jeunes couples branchés qui déambulent sur Filbert Street par un beau dimanche après-midi. Non. Pour être honnête, nous avons plus fière allure que les autres. Jonathan, du moins. Il arbore un teint hâlé, un visage aux traits peu communs, à l'expression pleine d'intelligence et de vivacité. Des yeux à la fois très sombres et lumineux. Il est grand, avec des épaules larges et une taille bien prise. Je ne possède pas autant d'attraits, mais je ne suis pas vilaine non plus et, surtout, nous formons un véritable duo de charme : ses cheveux gris et courts, ainsi que ses yeux bruns, contre mes cheveux bruns et courts, ainsi que mes yeux gris… Voilà qui s'harmonise à la perfection. J'ajoute, me concernant, que je suis un peu plus grande que la moyenne, que mes os sont fins et mes hanches étroites, ma peau pâle, ma bouche large. Des cernes tourmentés se creusent volontiers sous mes yeux, y compris au terme d'une bonne nuit de sommeil.

Une brume légère flotte dans l'air aujourd'hui, mais l'amour que nous venons de faire, puis le thé que nous avons bu nous réchauffent. Par-dessus tout, ma curiosité me rend indifférente à la fraîcheur de l'air. Serrant fermement ma main dans la sienne, Jonathan m'expose enfin ses intentions.

— Tu n'as jamais entendu parler de ce type de vente aux enchères, je suppose. Tu ne connais pas davantage le rôle exact d'un propriétaire d'esclave.

Mais quand nous assistons à un spectacle de dressage, t'arrive-t-il de te poser des questions ?

— Oui, Jonathan, dis-je avec humilité. Et j'espérais que tu m'instruirais à ce sujet.

Les spectacles de dressage comptent parmi les attractions les plus étranges auxquelles Jonathan m'ait conviée. Ces événements, régis par un certain nombre de règles, se déroulent toujours dans une demeure luxueuse, un manoir (au parc souvent entouré de hauts murs) situé la plupart du temps à la pointe de la péninsule de San Francisco. À notre arrivée, Jonathan confie son véhicule à un voiturier, qui se charge aussi de mon manteau. Dès lors je suis nue, à l'exception d'une paire de bottes, d'une laisse et d'un collier. Jonathan saisit ma laisse pour m'entraîner vers des chaises disposées en cercle au beau milieu d'un jardin splendide. Il s'assied, puis attache la laisse à un petit piquet planté à côté de son siège. Alors, à l'instar des autres esclaves, je m'agenouille.

Les deux premières fois que j'ai assisté à ces séances, je n'en croyais pas mes yeux, et je n'aurais pas été autrement surprise si Jonathan m'avait annoncé que ces personnes séduisantes des deux sexes étaient en réalité des acteurs engagés par ses soins. Je peinais à admettre que d'autres couples aient pu nouer des relations semblables à celles que nous entretenons tous les deux, et plus encore qu'ils se révèlent aussi nombreux – ils formaient un authentique microcosme. Mais, peu à peu, j'ai appris à accepter cette réalité, d'abord par le biais de signes physiques : ces minces stries rouges, par exemple, sur les cuisses d'une jeune femme à la chevelure blonde et bouclée. Des stries très régulièrement espacées. L'œuvre, à n'en pas douter, de cette élégante femme au teint cireux, vêtue de soie blanche, que la blonde contemplait avec adoration. Dès lors, je me suis interrogée : qu'existait-il encore, dont je n'avais pas idée ? Et selon quelles modalités se jouaient ces liens ?

Jonathan s'est irrité de ma curiosité. Seuls importaient les numéros présentés, m'a-t-il décrété, et je me trouvais là pour les observer, puis pour en tirer certains enseignements. En aucun cas pour m'extasier devant le parterre de spectateurs. Plus précisément encore, il m'a sommée de me concentrer sur les attractions qui retenaient son intérêt. Car le spectacle était varié : on recensait des courses (y compris des courses d'obstacles) auxquelles participaient des esclaves bottés et harnachés, ornés quelquefois de couleurs assorties – certaines personnes possédaient-elles donc plusieurs soumis ? Mais ces prestations équestres ne passionnaient guère Jonathan, à qui il arrivait de quitter les lieux prématurément. Tandis que je le suivais, mille pensées se bousculaient dans mon esprit, mille fantaisies incohérentes – quel effet éprouvait-on, par exemple, à se voir mené par des rênes fixées à un mors glissé dans la bouche ?

Jonathan, lui, adore ce qu'on nomme les « représentations ». En général, elles se tiennent juste après l'intervention du maître ou de la maîtresse de maison – tous individus fortunés aux ongles soigneusement manucurés. La dernière fois que nous avons assisté à l'un de ces spectacles, il s'agissait d'une femme, en robe de cocktail, qui a commencé par accueillir ses invités d'une voix onctueuse. Ensuite, elle a énuméré les participants – même si l'ensemble de ces informations se trouvait imprimé, en caractères délicats, sur un petit carton distribué, dès leur arrivée, à tous les dominants et dominantes.

Toujours est-il que notre hôtesse s'est exprimée à peu près en ces termes : « Aujourd'hui, six ravissantes jeunes femmes participent à notre premier événement. Elizabeth, propriété de M. Elias Johnstone. Janet, propriété de M. Frank Murphy. Tina, dont M. John Rudner est le propriétaire certifié… » Et ainsi de suite. Après quoi, six superbes créatures ont tourné par deux fois, dans le plus simple appareil, autour des sièges disposés en cercle, puis, tour à tour, chacune s'est agenouillée devant notre hôtesse pour lui baiser le pied. Sur les reins, les filles portaient, inscrits au crayon gras, leur nom ainsi que celui de leur propriétaire, assortis de numéros de code dont j'ignorais la signification. La femme en robe de cocktail leur a souri avant de nous présenter le juge qui, si j'en crois les réactions de l'assistance, est une célébrité dans son domaine. Mais ce domaine, quel était-il au juste ? Des murmures

14

autour de moi en faisaient un dresseur hors pair : il avait accompli des prouesses, disait-on, avec l'esclave de quelqu'un dont je n'ai pas reconnu le nom. Toujours est-il qu'il possédait un corps sublime, que sa coiffure en revanche donnait moins à rêver, qu'il portait une tenue à la Jack LaLanne et que des applaudissements nourris ont accueilli son entrée en scène.

Quant à l'exercice réalisé par les concurrentes, il se révélait à la fois très simple et très compliqué. Il s'agissait pour elles d'adopter l'une après l'autre une série de positions sexuelles – les fameuses « représentations ». Ces attitudes concernaient diversement la bouche, la chatte, le cul, et comportaient plusieurs variantes – le but de l'opération consistant, pour l'esclave, à affecter la posture la plus commode et la plus excitante pour celui qui souhaiterait la pénétrer. L'essentiel de la difficulté tenait dans la maîtrise musculaire. Point n'était besoin d'être juge – celui-ci procédait à une évaluation minutieuse des concurrentes en les essayant l'une après l'autre – pour repérer les qualités ou les défauts des prestations.

Je me rappelle tout particulièrement Elizabeth, dont j'admirais les prouesses. Elle arborait un très large collier, en argent semblait-il, mais plus probablement composé de mailles en acier inoxydable, tels certains bracelets de montre. Ses cheveux noirs étaient noués en un petit chignon au sommet de son crâne, à la manière des ballerines. Elle avait de grands yeux bleu pâle, pleins de candeur et soulignés de noir. Elle ne portait, sinon, qu'une rutilante paire de pinces à mamelons, sans doute du même métal que le collier, ainsi qu'une orchidée blanche attachée sur la tempe. Ses seins étaient opulents et fermes ; sa taille fine à l'égal de son buste, et d'une extrême délicatesse.

Le dresseur, qui s'était muni d'un petit fouet, l'a pointé en direction de la jeune femme.

— Elizabeth, a-t-il dit d'un ton bref et tranquille. La bouche.

Lentement, dans un mouvement d'une grâce exceptionnelle, elle s'est agenouillée devant lui, puis inclinée pour venir placer ses lèvres face au sexe de l'homme. Ce dernier ayant gardé son pantalon, j'ignore comment elle était parvenue à évaluer avec une telle précision l'angle probable de son érection. Elle a ouvert la bouche, une quinzaine de centimètres la séparant désormais de l'entrecuisse de son vis-à-vis qui, tandis qu'elle exhibait une cambrure parfaite, a fait glisser la fermeture éclair de sa braguette afin d'introduire sa queue au fond de la gorge d'une Elizabeth impeccablement immobile qui, aussitôt, s'est mise à la sucer. Il suffisait de l'observer pour deviner qu'elle officiait sans la moindre tension, les muscles relâchés ; elle respirait paisiblement par le nez. Dans ses yeux grands ouverts se lisait de la sérénité, et quelques applaudissements épars ont salué sa prestation.

Le dresseur n'a pas tardé à retirer sa queue, qu'il avait très grosse et très raide.

— Elizabeth, a-t-il déclaré. La chatte.

J'ai pensé qu'elle allait s'allonger sur l'herbe tendre, mais elle s'est au contraire dressée sur la pointe des pieds pour venir s'empaler, en douceur et profondément, sur le sexe du dresseur – elle a ensuite passé un bras autour de ses épaules, comme une trapéziste se serait enroulée autour d'une corde pour redescendre sur la piste aux étoiles.

— Elizabeth. Le cul.

L'esclave s'est alors retirée pour se placer à quatre pattes. Son cul, qui conservait toute l'élasticité et la beauté de la jeunesse, était royalement offert. Sous des applaudissements cette fois plus nourris, le dresseur l'a brièvement pénétrée avant de lui caresser la tête. Elle a fait volte-face, baisé le pied de l'homme, puis le sol devant le public.

Après s'être remise debout, la jeune femme a regagné le cercle des invités. Vivement impressionnée, je me suis efforcée de mémoriser mes sensations – peut-être me serviraient-elles plus tard.

Pourtant, Elizabeth a finalement été devancée par Tina, propriété certifiée de John Rudner. Je sentais confusément qu'il me restait beaucoup à apprendre. Jonathan, emballé lui aussi par le numéro d'Elizabeth, a profité de l'entracte, durant lequel on a servi du champagne, pour aller voir son maître. La jeune femme lui a timidement embrassé le pied, après quoi Jonathan a serré la main du dominant et caressé les seins de l'esclave, dont le collier s'ornait du ruban rouge signalant sa deuxième place. Pour ma part, je demeurais bien sûr agenouillée, toujours attachée à mon petit piquet. Auprès de moi se tenait un superbe garçon, tout en larges épaules, hâle avantageux, pommettes délicieusement saillantes et chevelure souple.

— Votre maître est splendide, m'a-t-il murmuré. Êtes-vous sa propriété certifiée ?

Que répondre ? Je n'en avais pas la moindre idée, mais, déjà, un domestique me tirait involontairement d'embarras : comme il disposait ici et là de petites écuelles pour que nous y lapions un peu d'eau, il a giflé le jeune homme pour le punir d'avoir parlé sans y être autorisé. Un second serviteur s'est présenté, muni d'écran solaire, dont il a entrepris de m'enduire la peau – il frottait vigoureusement pour faire pénétrer la crème, me pinçant au passage de temps à autre, très fort mais avec une impeccable discrétion.

Mais revenons à notre promenade sur Filbert Street. Jonathan m'explique qu'une esclave qualifiée de « propriété certifiée » – c'était le cas de Tina, mais pas celui d'Elizabeth – est une esclave que son maître a achetée, probablement lors d'une vente aux enchères. Je ne me sens guère plus avancée, mais considérons qu'il s'agit là d'un début.

— Si je comprends bien, Jonathan, moi je t'appartiens, rien de plus ?

— Non, tu ne m'appartiens même pas. Nous avons passé un accord verbal, c'est tout. Cependant, j'aimerais officialiser notre situation, afin de pouvoir te vendre.

— Cela te rapporterait-il beaucoup d'argent ?

L'étrangeté de ma question me trouble tellement que j'en oublie de mentionner son prénom en m'adressant à lui.

— Jonathan, je m'empresse d'ajouter.

— Je te frapperai dix fois lorsque nous rentrerons, m'indique-t-il d'un ton égal, avant de poursuivre : Non, les choses ne se déroulent pas de cette manière, du moins pas à l'époque actuelle. Si tu acceptes que je devienne officiellement ton propriétaire, nous allons rédiger puis signer des documents. Après quoi tu m'appartiendras, et je pourrai te vendre. Mais je ne recevrai pour ma part qu'une somme symbolique. C'est à toi que l'argent reviendra. Il sera placé sur un compte à ton nom et rapportera des intérêts jusqu'au terme de ton contrat – on l'établit en général pour un an ou deux.

Je me tais. D'abord, je songe à la punition qu'il vient de me promettre. Ensuite, il me faut un peu de temps pour digérer ces informations.

— Combien d'argent cela représente-t-il, Jonathan ?

— Tina a coûté à son maître 250 000 dollars pour deux ans. Rentrons, à présent.

Une fois dans la maison, je l'aide à ôter son blouson, que je suspends dans le placard. Jonathan prend place dans son fauteuil. Je viens me planter face à lui, tremblante, avec l'espoir qu'il aura oublié les coups annoncés. Je sais que non.

— Tu connais la procédure, me dit-il d'une voix paisible. Dépêche-toi.

— Oui, Jonathan.

Je me débarrasse de mes bottes, de mon pull et de mon jean, puis je m'agenouille ; je plie mes vêtements le plus rapidement possible. Je marche à quatre pattes jusqu'au placard, où je fourre en hâte mes habits. Je rejoins ensuite un petit meuble, à l'intérieur duquel je prends la canne en rotin de Jonathan avant de revenir vers lui, secouée de frissons. Ayant récupéré l'objet, que je serre entre mes dents, il détache ma laisse du collier et la dénoue adroitement pour m'en libérer la taille.

— Sur la table, commande-t-il.

Je me relève pour me pencher par-dessus la petite table disposée à côté de son fauteuil. Je croise les mains dans le bas de mon dos. Il se lève à son tour, saisit brutalement mes deux poignets dans sa main gauche pour m'obliger à lever les bras en arrière – au moins, ils se trouveront protégés des assauts de la canne. La manœuvre de Jonathan m'empêche en outre de perdre l'équilibre. Il ne me reste plus qu'à supporter la douleur et compter les coups. Mon Dieu, comme j'ai mal… Jusqu'à ce que la canne s'abatte une quatrième fois sur mon corps, je me contente de gémir un peu, mais ensuite je cède à la souffrance : je sanglote, je dénombre les coups en hurlant. Avant de m'assener le dernier, Jonathan glisse un pied entre mes jambes pour me contraindre à les écarter légèrement : l'épaisse tige de rotin vient frapper le bord de ma chatte. Un cri jaillit de ma bouche avant que j'aie eu le temps d'articuler « dix ».

Jonathan lâche mes poignets. Je me laisse tomber à genoux. Il glisse la canne entre mes mâchoires, afin que je l'emporte jusqu'au petit meuble pour la ranger. Enfin, je reviens vers lui, je le remercie avec la promesse de respecter plus scrupuleusement nos règles à l'avenir. Il prend mon visage entre ses mains pour m'offrir de longs baisers, sur ma bouche d'abord, puis sur mes joues trempées de larmes. Il se penche et embrasse mes seins, tandis que, dans un dernier hoquet, mes pleurs cessent.

— Va-t'en dans la cuisine, maintenant, me chuchote-t-il. À tout à l'heure.

Toujours à quatre pattes, je rejoins là-bas Mme Branden, qui dépose une casserole sur le carrelage : voici mon dîner. Je mange, après quoi elle me mène à l'étage, dans la chambre de Jonathan. J'y patiente à quatre pattes sur le lit, à la tête duquel la gouvernante a attaché mon collier. Sans doute Jonathan est-il sorti grignoter quelque chose, peut-être boit-il une bière avec des amis. Je sais qu'il me faudra demeurer ainsi une bonne heure au moins. L'attente fait partie de ma tâche – je suis d'ailleurs la première surprise de me maintenir en position même lorsque personne ne m'observe. À son retour, Jonathan claque des doigts. Je plonge alors le visage dans l'oreiller avant de croiser les mains sur ma nuque.

Mon dos se cambre, je m'ouvre, je me détends. Je suis prête.

Jonathan effleure l'arrière de mon crâne puis, glissant une main sous mon épaule, il caresse l'un de mes seins.

— C'est bien, Carrie.

Je le remercie dans un murmure. Du fond du cœur je me réjouis de n'être plus en disgrâce. Mes fesses me font atrocement souffrir – je les devine bouffies, tuméfiées –, mais, pour je ne sais quelle étrange raison, je me sens dans le même temps présente à moi-même, ouverte et disponible. Je suis prête.

Jonathan palpe mon cul avec adresse, me tirant des plaintes, puis il lèche une ou deux zébrures, parmi les plus longues qu'il m'ait infligées. Cette fois, je geins. Il se lève. Je l'entends vaquer dans la salle de bains : il urine, se douche et se lave les dents. De retour dans la chambre, il se déshabille. Il range avec soin ses habits en sifflotant *La Truite* de Schubert. Il aime faire durer le plaisir, jouir par anticipation de nos ébats. Je suis au contraire d'une nature impulsive, mais, avec le temps, j'ai commencé à saisir tout ce qu'il retire de la solennité dont il fait preuve dans ces moments-là. Frissonnante, le visage toujours enfoui dans l'oreiller, occupée à maîtriser mes soupirs et mes gémissements, je perçois des sons ténus, que j'identifie un à un : la porte du placard, une fermeture à glissière, le froissement d'un tissu, le souffle bref expiré par la bouteille d'eau de toilette sur laquelle on exerce une pression – et, toujours, cette mélodie douce-amère que Jonathan siffle gaiement entre ses dents.

Enfin, nu, fleurant bon le dentifrice et le savon au lait d'avoine, il vient se placer derrière moi. Quelques notes de Schubert encore, et il me pénètre. Ai-je écrit plus haut que j'étais prête ? Erreur : je l'étais presque. Tout à coup pour moi survient un choc, un effet d'invasion. Tout en moi soudain se trouve remis en cause, y compris – et surtout – ma volonté. Dans un deuxième temps, je me prends à renouer avec la moindre sensation, à profiter du plus subtil des purs plaisirs. Je me délecte de la douceur de son ventre, des fins poils noirs qui le couvrent, des muscles de son bassin épousant au plus près mes fesses meurtries. Il me fait l'amour avec lenteur et volupté. Je flotte. Ballottée par des vagues sensuelles, je tente de ne pas perdre pied en me raccrochant à ce qui se situe en dehors de l'angoisse ou du plaisir ; j'embrasse et je mordille sa main, qu'il a posée bien à plat auprès de ma figure.

Ensuite, il me libère mollement de mon collier et de mes poignets de cuir, tandis que j'incline la tête pour le remercier. Il me renvoie dans ma chambrette, située à l'autre bout du couloir. J'y sombre dans un sommeil troublé par toutes sortes de questions sur la propriété, sur l'achat ou la vente, sur les mille impressions que ces perspectives ont éveillées en moi.

Tôt levée, je me démène pour ne pas arriver en retard à mon travail. Sans doute Jonathan dort-il encore – architecte de profession, il possède son propre studio, en sorte qu'il lui arrive parfois de ne commencer qu'à 9 h 30. Lorsque je passe la nuit chez lui, ces horaires décalés nous arrangent : nous préférons nous préparer sans devoir nous croiser dans le couloir où, gênés, nous ne savons pas très bien comment nous comporter l'un envers l'autre. Pour ma part, impossible en tout cas de traîner le matin : je suis coursière à vélo.

Comme tous les jours, ou presque, j'enfile des collants noirs, puis un *baggy* kaki, déchiré de place en place et coupé sous le genou. À quoi j'ajoute une paire de Converse d'un orange lumineux, un blouson de cuir élimé sur un T-shirt Dead Elvis. Aujourd'hui, je me sens faible et courbatue, au point que je peine à maintenir la cadence – pourvu que je sois à l'heure. Je meurs de faim. Le réfrigérateur de Jonathan regorge habituellement de victuailles – je me demande parfois si quelqu'un prévoit à ma seule intention ces copieux petits-déjeuners adaptés à mes activités physiques ou si, tout bonnement, mon maître apprécie d'entamer ses journées par un repas roboratif. Il m'arrive de me préparer une énorme omelette au fromage, mais ce matin le temps presse. J'ouvre le réfrigérateur. Bingo : une boîte en carton à moitié pleine de porc Mu Shu. Pas de pancakes en vue, mais ne faisons pas la difficile. J'engloutis la nourriture asiatique, et je m'éclipse.

Dans l'ensemble, mon travail me convient. J'aime filer au milieu des embouteillages, implacable, endurante, volontiers injurieuse envers celui ou celle qui se place en travers de mon chemin. Aujourd'hui, cependant, je m'amuse moins, à cause de mes fesses endolories. Je continue en outre de songer à la vente aux enchères dont Jonathan m'a parlé hier. Distraite, j'échappe de peu à la mort : un imbécile ouvre grand sa portière au moment précis où je longe son véhicule.

Je n'avais pas prévu de devenir coursière à vélo. Je comptais m'engager dans un troisième cycle universitaire – en littérature – lorsque j'ai rencontré Jonathan à une fête qu'on donnait dans une superbe demeure de Pacific Heights.

Il ne s'agissait nullement du genre de réception que j'avais l'habitude de fréquenter. Elle avait été organisée par un riche avocat, qui entretenait des relations privilégiées avec l'industrie du film. Je m'y trouvais parce que Jan, ma colocataire, désireuse de devenir un jour réalisatrice, avait entrepris de s'introduire peu à peu, et par la bande, dans le milieu du cinéma. Ce jour-là, en sortant d'une salle obscure, nous avions croisé quelques-unes de ses vagues connaissances, qui nous avaient entraînées à la fête. Une fête où, vêtue d'un jean noir et d'un débardeur vantant les mérites de la Troupe de Pantomime de San Francisco, je m'étais aussitôt fait remarquer. Il régnait une chaleur exceptionnelle pour un soir d'octobre. Les femmes exhibaient de somptueuses soieries ondoyantes ; les hommes en veste Armani semblaient tous sortis du même moule, tous échappés des pages du magazine *GQ*. Jan s'amusait avec ses nouveaux amis. J'ai commandé une bière, puis je me suis mise à déambuler timidement parmi la foule.

Ayant repéré que, dans l'une des pièces de la villa, on projetait des vidéos sur un écran géant, je suis entrée et me suis assise sur le sol dans l'espoir de m'y sentir un peu moins seule, un peu moins désœuvrée au milieu de ces gens avec lesquels je n'avais rien de commun. C'est ainsi que j'ai visionné les quinze ou vingt dernières minutes de *Tribulations 99*, un moyen métrage d'une irrésistible drôlerie – qui à lui seul, me suis-je dit, valait ma visite impromptue dans cette maison. Après quoi, quelqu'un a choisi de diffuser un film SM. Une production lamentable, un parfait exemple de provocation gratuite. Au fil des remarques piochées ici et là parmi les spectateurs durant la projection, j'ai cru saisir que l'un des invités – lors d'une période de vaches maigres, quelques années plus tôt – avait réalisé ce film, ou qu'il en incarnait l'un des personnages. Toujours est-il que s'y trouvaient mis en scène une dominatrice et son compagnon – soit une grosse blonde platine à demi dépoitraillée, flanquée d'un type torse nu à la peau grêlée, affublé d'un pantalon de cuir. C'est alors que deux adorables lesbiennes s'installaient chez eux, sous prétexte que, leur couple battant de l'aile, elles espéraient quelques coups de fouet pour le remettre dans le droit chemin. Coups de fouet il y avait, en effet, qui ranimaient leur vie sexuelle bien au-delà de leurs attentes. Un film parfaitement inepte – je me rappelle encore les deux lesbiennes gloussant contre toute raison à intervalles réguliers. Et pourtant. J'ai adoré.

J'ai adoré à tel point que j'ai fini par me sentir horriblement gênée : sans que je puisse détourner mon regard de l'écran, le rouge m'est peu à peu monté aux joues. Je transpirais. Et je me suis soudain surprise à ouvrir tout grand la bouche face au spectacle qui s'offrait à moi. J'ai tenté de me ressaisir en priant pour que personne n'ait remarqué mon émoi. À peine les lumières rallumées, j'ai quitté la pièce. C'est alors que Jonathan m'a emboîté le pas.

— Ils pratiquent réellement le sadomasochisme, m'informe-t-il en me décochant un sourire délicieux. Je les ai rencontrés.

— M. Jack et maîtresse Anastasia ?

Le calme apparent avec lequel je viens de réagir m'emplit de fierté.

— Sont-ils aussi doués qu'ils en ont l'air dans le film ?

— Ma foi, oui. Je reconnais qu'ils manquent de charme, mais ils sont très doués.

Sur quoi je reste muette, prenant soudain conscience que je suis en train de discuter SM avec le plus beau, le plus élégant des garçons chic en uniforme Armani présents à cette fête. Mince, bronzé, le regard pétillant d'intelligence, une petite perle noire à l'oreille, il porte son coûteux costume avec une formidable désinvolture. Quant à ses merveilleux yeux bruns aux lueurs animales, je les trouve à la fois sensuels, chaleureux – avec ce soupçon de bienveillance qui me permet de me sentir à peu près à l'aise en sa présence.

Je suis subjuguée. Trente-cinq ans, pensé-je. Quarante tout au plus. Riche. Hétéro. Et superbe. Jamais encore je ne me suis livrée à un tel diagnostic. Je me fais, par contraste, l'effet d'une lamentable empotée, incapable de poursuivre notre conversation. En revanche, je le dévore du regard.

Ce qu'il tolère avec une extrême politesse, comme une manière de compliment tacite. Il délaisse M. Jack et maîtresse Anastasia pour enchaîner sur d'autres sujets, avec autant d'humour que de profondeur. Puis nous gagnons la terrasse et nous juchons sur une balustrade en pierre dominant la baie. Quelques minutes plus tard, je cause littérature et recherche universitaire, je lui révèle mes centres d'intérêt. J'évoque la poésie des troubadours, qui nous mène doucement vers le sud de la France. J'ai affaire à un garçon cultivé, visiblement incollable sur l'architecture médiévale. Non qu'il s'agisse là d'un sujet qui me passionne, mais je suis certaine qu'il a déjà deviné mon admiration pour les spécialistes en tout genre – hormis les fans de base-ball. Je suis sous le charme et, pour être tout à fait honnête, terriblement flattée de me voir courtisée par un homme de cet âge – un type d'une classe folle, de surcroît. Est-ce que j'en pince pour lui ? Je n'en ai pas la moindre idée et, dans le fond, je m'en fiche : je me sens plus tourneboulée qu'une collégienne, et sexuellement excitée – par le film d'abord puis par Jonathan. Je ne souhaite qu'une chose : qu'il m'emmène chez lui. De cela, au moins, je suis parfaitement sûre.

Il finit par poser une main sur mon avant-bras en poussant un lourd soupir. Oh mon Dieu, me dis-je dans une bouffée délirante. Il va m'annoncer qu'il a le sida. Mais…

— Vous êtes belle, commence-t-il, vous êtes intelligente. Je vous aime beaucoup, mais ce ne sont pas les raisons qui m'ont poussé à bavarder avec vous depuis une heure. J'ai quelque chose d'infiniment plus sérieux en tête. Je souhaite faire de vous mon esclave.

Oh. Mon. Dieu. Voilà ce qui s'appelle jeter un froid. Ou alors, il a opté pour le burlesque en m'offrant cette « rencontre choc » telle que les héros en vivent dans les comédies romantiques. Je le dévisage quelques instants. Peut-être ai-je mal entendu. Mais Jonathan possède une diction impeccable, la terrasse est silencieuse et mon ouïe fine. Je descends de la balustrade, résolue à quitter les lieux sur-le-champ.

Je balbutie.

— J'ai… j'ai eu plaisir à parler avec vous.

La poisse. Cet homme a tout pour plaire mais, hélas, il se révèle totalement givré. Quelle histoire cependant. Il me tarde déjà de la raconter à mes amis.

— Écoutez-moi d'abord, intervient-il avec tant de calme que je me fige et me retourne vers lui. Vous venez de visionner un porno aussi stupide que vulgaire, et pourtant il m'a suffi de vous observer du coin de l'œil pour deviner que votre jean était aussi mouillé qu'une serpillière.

Son regard faussement indifférent s'attarde sur mes hanches. Un peu trop longtemps à mon goût. Le temps d'un battement de cils.

— C'est pourquoi, selon moi, vous êtes loin de vous sentir aussi offusquée que vous l'imaginez. Après tout, ce n'est pas comme si vous n'aviez jamais nourri ce genre de pensée. Je parie d'ailleurs que lorsque cela vous arrive, vous vous en délectez longuement. À mon avis, vous vous branlez en lisant des pornos SM depuis que vous avez déniché quelque part *Histoire d'O* à l'âge de douze ans. Je pense également que vous n'avez jamais osé franchir le pas : vous vous contentez de vos livres et de vos plaisirs solitaires. Quel dommage ! Parce que je vous fiche mon billet que vous seriez très douée. Moi, je suis très doué.

Treize ans et demi. Presque quatorze. L'âge que j'avais quand j'ai découvert *Histoire d'O*. Voilà Jonathan tout craché, Jonathan et sa politesse quasi maladive, qui le pousse, dans l'unique intention de satisfaire son interlocuteur, à feindre de le croire plus séduisant ou plus précoce qu'il ne l'est en réalité. Sans doute me flatte-t-il sciemment ce jour-là, il me flatte perversement, mais il n'ignore pas non plus qu'il tape dans le mille. La pornographie sadomasochiste compte parmi mes petits secrets, même si je ne saisis absolument pas ce qui m'attire dans cet univers. Un univers qui, au creux de mon cerveau, voisine avec des élans plus convenus – mes béguins de fillette pour un acteur, un chanteur, voire l'un de mes professeurs d'anglais ; mes grotesques emportements de cœur à chaque relecture de *Jane Eyre*. À quoi s'ajoutent à présent les rêves bleus auxquels je m'étais abandonnée auprès de Jonathan avant que notre discussion prenne ce tour pour le moins déconcertant. Soudain, je prends peur. Je me sens percée à jour.

Je dois me ressaisir. Assez parlé de moi. À lui, maintenant.

— Vous êtes doué, dites-vous. Doué pour les petits jeux avec M. Jack et maîtresse Anastasia ?

— Je fréquente une catégorie de pervers d'un tout autre niveau. Ils sont riches. Et autrement plus appétissants. Cela dit, vous n'avez pas tout à fait tort. Car j'éprouve du respect pour les individus que vous avez découverts dans ce film. Il faut être mû par une véritable passion pour donner à voir ses fantasmes sans pouvoir compter sur un physique avantageux. J'ai l'œil pour repérer la passion. La sincérité, peut-être bien. Et vous, je vous ai repérée.

Plongeant la main dans sa poche, il fait surgir un feuillet sur lequel il a noté son nom et son adresse – comme de bien entendu, il possède une toute petite écriture très lisible.

— Si vous désirez passer un bon moment, me propose-t-il, venez chez moi demain, à 15 heures.

Et déjà, il s'éloigne parmi la foule des invités.

Une étoile est née, me dis-je, déraisonnant une dernière fois. Mon jean est trempé.

Et le lendemain à 15 heures, chers lecteurs, je me présente chez lui. Je n'ai rien raconté à personne, mais je me suis soigneusement épilé les jambes et les aisselles. Sa demeure, avec sa façade en bardeaux et ses façons discrètes de se dissimuler aux yeux des passants dans un bosquet de conifères, ne ressemble pas tout à fait à celles qu'on voit en général à San Francisco. Je sonne. Il vient m'ouvrir en jean et en pull. Il se révèle aussi charmant, aussi affable que la veille, mais peut-être plus beau encore. Il ne s'est pas rasé, les poils de sa barbe soulignant superbement ses traits, jetant des ombres autour de sa bouche. Il a beau friser la quarantaine, il subsiste dans son visage quelque chose d'indompté qui achève de me le rendre irrésistible. Yves Montand, pensé-je. Montand dans *Le Salaire de la peur*. Cette touche de sauvagerie contraste avec sa jovialité paisible.

— Je suis ravi que vous soyez venue. Entrez.

Il me précède dans un couloir menant à un splendide bureau aux murs couverts de livres. Un feu brûle dans la cheminée, devant laquelle il me plante. Sans qu'aucun de nous deux prononce un mot, il ôte mon chemisier et mon soutien-gorge, avant de défaire mes chaussures et mes chaussettes. Il m'aide à me débarrasser de mon jean, puis de ma culotte. Il me tend ensuite une paire de souliers à très hauts talons qu'il me commande d'enfiler, puis d'essayer longuement en décrivant des cercles dans la pièce. Ils me vont à merveille – je n'ai pourtant jamais rien porté de tel. Il passe un collier en cuir autour de mon cou, qu'il referme sur ma nuque. Les mains posées sur mes épaules, il me guide à nouveau vers la cheminée, puis s'empare d'une télécommande posée sur une table basse. Il en presse l'un des boutons : au-dessus de ma tête, une chaîne descend du plafond, à laquelle il fixe les menottes en cuir qu'il vient de passer autour de mes poignets. Une pression du pouce sur un autre bouton de la télécommande et la chaîne se rétracte lentement jusqu'à se tendre. Je me tiens presque sur la pointe des pieds à présent – les talons aiguilles ne me sont plus d'aucun usage. Je respire avec peine.

Jonathan s'assied dans un fauteuil tout proche. Confortablement renversé contre le dossier, il se met à m'observer d'un œil placide.

— J'avais raison. Tu aimes ça. Maintenant, tu vas répondre à mes questions, sans jamais omettre de mentionner mon prénom. Et regarde-moi – je t'interdis de te laisser aller en pensée à quelque fantasme que ce soit. Ne parle que si je t'y autorise. Tu es ici pour me révéler ce que je souhaite savoir. Tu pourras m'interroger à ton tour plus tard.

Ses questions, certes posées sur le ton courtois qui le caractérise, se révèlent dénuées de toute émotion.

Âge, taille, poids. Ma famille. Mon emploi du temps et mes obligations en matière de planning. Maladies, allergies. Expériences sexuelles, dans les moindres détails. Jonathan va jusqu'à prendre quelques notes pendant l'interrogatoire. J'ai du mal à respirer, il m'est difficile de ne pas le lâcher des yeux et je manque souvent d'oublier de prononcer son prénom. En dépit de la chaleur de l'âtre, qui me caresse le dos, je lutte pour réprimer mes tremblements.

— Tourne-toi, m'ordonne-t-il pour conclure. Je veux voir ton cul.

La tâche est malaisée, du fait de la chaîne très tendue et des souliers à talons.

— Oui, Jonathan.

Malgré tout, je m'exécute.

Il se penche pour m'empoigner par la taille avant d'introduire le pouce dans mon anus et le majeur dans ma chatte. Je me fais l'effet d'une marchandise qu'il inspecte. Il libère ma taille pour suivre, du bout des doigts, le contour de mes fesses. Sous sa caresse, j'en perçois la rondeur, j'en identifie les fossettes sacrées – c'est comme s'il dessinait pour moi. L'envie me vient d'acheter en sortant du raisin au super-marché. Toutes les images qui surgissent çà et là dans mon crâne ont un rapport avec d'éventuelles emplettes.

Sans ôter les deux doigts qu'il garde enfoncés en moi, il se sert de l'autre main pour me fesser. Très fort. À m'en couper le souffle. J'ouvre les yeux pour tâcher de comprendre, mais il ne manifeste aucune réaction, se contentant de me pénétrer plus profondément encore du pouce et du majeur. Il examine la fraction de peau qu'il vient de meurtrir, pour apprécier sans doute la teinte rose vif qu'elle doit être en train de prendre. Il semble satisfait. C'est alors que je comprends : ce qui se passe là a finalement peu à voir avec moi, avec ce que je qualifie ordinairement de « moi ». Ce qui importe ici tient au grain de ma peau, aux formes de mon corps, à la densité de ma chair. Mon intuition a parlé pour moi en peuplant mon esprit de mirages de boutiques et de shopping. Jonathan fait ses courses ! Et je prie pour qu'il m'achète.

Certes, me dis-je, il a employé le mot « esclave » lorsque nous nous tenions, la veille au soir, sur la terrasse de la villa. Mais à ce terme j'avais alors, sottement, associé l'expression « esclave de l'amour ». Je ne m'étais pas figuré ces manières de maquignon lors d'une foire aux bestiaux. Je pique un fard, et des larmes d'humiliation commencent à rouler sur mes joues. Mesurant tout à coup l'étendue de ma bêtise, je me sens affreusement gênée : comment ai-je pu me fourvoyer à ce point ? Comment ai-je pu rester aveugle à ce qui, pourtant, se révèle aussi clair que le jour ? Mais ce qui me mortifie le plus tient à cette situation dans laquelle je me trouve maintenant : enchaînée, impuissante, offerte – un véritable livre ouvert. Pour couronner le tout, je jouis de cet avilissement, je mouille et, bien sûr, Jonathan ne peut pas ne pas s'en apercevoir. Mais d'ailleurs, s'en soucie-t-il ?

Délaissant mon cul, il finit par me faire pivoter pour me placer face à lui. Après quoi, il se renverse de nouveau dans son fauteuil et m'observe en train de sangloter – ce spectacle-là semble l'intéresser aussi.

— Tu aimes qu'on te regarde ? me demande-t-il lorsque je commence à me calmer un peu.

— Oui, Jonathan, je réponds en reniflant, étonnée par l'assurance qui sous-tend ma voix mouillée de larmes.

— C'est bien.

Il presse le bouton de la télécommande. La chaîne se détend.

— À genoux, exige-t-il, mais garde le dos bien droit et le menton levé. C'est une position que j'apprécie beaucoup.

Il pince mes mamelons et gifle mes seins.

— T'a-t-on déjà fouettée ou battue ?

— Non, Jonathan.

— Eh bien, apprête-toi à l'être. Ces séances te laisseront des marques, mais aucune cicatrice. Il n'y aura pas de plaie non plus, ni de blessure quelconque.

Sur ce, il ôte sa ceinture, la plie en deux, puis m'en cingle les seins. Il enchaîne en suivant avec cette lanière le galbe de ma bouche. L'odeur douceâtre du cuir me suffoque. Je m'abandonne alors à mes sensations et, les paupières closes, je commence à gémir.

36

— Silence, décrète-t-il sévèrement. Reviens ici, et fais bien attention.

J'écarquille les yeux, stupéfaite par ces inflexions rudes que je ne lui connaissais pas. Il me dévisage un instant, puis reprend sur un ton de bienséance un peu pédant.

— Tu vas apprendre à éviter ce genre de comportement. Je te dresserai pour cela. Je possède des cannes et des fouets. Compte sur moi pour t'infliger des souffrances qui excéderont très légèrement ce que tu crois pouvoir endurer. Si tu enfreins les règles, si tu manifestes quelque défaillance que ce soit, je te corrigerai. Il m'arrivera aussi de te corriger pour le plaisir.

Il libère mes mains.

— Tu vas maintenant traverser la pièce à quatre pattes en veillant à bien garder le derrière en l'air. Puis tu saisiras entre tes dents la canne en rotin posée sur ce fauteuil pour me la rapporter. Ne bave pas sur la canne.

— D'accord, Jonathan.

J'obéis. Il s'agit d'une badine souple, longue d'environ soixante-dix centimètres, dont Jonathan s'empare par son extrémité la plus épaisse. Il me commande de demeurer à genoux devant lui, mais le dos droit et sans m'asseoir sur les talons, puis de tendre une main.

— Voici, de tous ceux que je possède, l'objet qui risque de te faire le plus mal. Je ne m'en servirai d'ailleurs que pour te punir. Je veux que tu en tâtes dès aujourd'hui, afin de savoir à quoi t'en tenir. C'est ce qu'on utilise pour les châtiments corporels dans les écoles de garçons en Angleterre.

J'entends siffler la badine, dont la gifle cinglante me met en effet à la torture, laissant sur ma peau une zébrure violacée. Je halète, mais parviens cette fois à retenir mes larmes. S'il frappe encore, pensé-je, je ne les retiendrai pas bien longtemps. Je suis néanmoins convaincue qu'il ne recommencera pas. Après tout, il s'agit aujourd'hui de m'instruire, non de me châtier. Jonathan me l'a expliqué : il souhaite, en somme, me montrer la monnaie dans laquelle vont s'effectuer nos échanges. Il me l'a dit. Et je le crois. J'y vois même un signe encourageant. Pourtant, je m'avise soudain que, sous son apparente limpidité, le message qu'il vient de me délivrer est au contraire terriblement ambigu, puisque j'ignore combien de coups il fera pleuvoir sur moi.

— Habille-toi, puis assieds-toi là-bas. Veux-tu du café ?

J'acquiesce d'un signe de tête.

Il presse le bouton d'un interphone.

— Madame Branden, pouvez-vous nous apporter du café, s'il vous plaît ? Je vous remercie.

Madame Branden ? Je me vêts en hâte pour prendre place sur la chaise voisine. Pianotant sur la télécommande, il fait disparaître la chaîne à l'intérieur du plafond. Tant mieux. Je serais incapable, sinon, de me concentrer sur notre conversation à venir.

— Très bien, commence-t-il en m'adressant un sourire. Nous allons passer un accord. Mais d'abord, interroge-moi. Demande-moi ce que tu veux. Demande-moi tout. Et adresse-toi à moi comme bon te semble. Profites-en, car si nous concluons ce pacte, tu n'en auras plus que rarement l'occasion.

Une femme charmante, qui doit approcher la cinquantaine, pénètre dans le bureau. Elle porte un pull et une jupe en tweed, quelques bijoux de créateur agrémentant sa tenue – elle a tout de la secrétaire juridique branchée. Sur le plateau qu'elle tient à deux mains trônent une cafetière, deux tasses, ainsi qu'une assiette de biscuits.

— Bonjour, Carrie, lance-t-elle en souriant.

— Bonjour, je réussis à articuler.

Elle me sourit à nouveau avant de s'éclipser.

Jonathan verse le café.

— Mme Branden est ma gouvernante, m'expose-t-il. Et oui, elle est parfaitement au courant de la situation. Mais ne t'en fais pas.

Je le fusille du regard.

— Comment ça, « ne t'en fais pas » ? Je croyais que nous étions seuls !

Il me tend une tasse, dont je m'empare en le remerciant d'un hochement de tête. Il laisse échapper un rire bref.

— Il va falloir que tu t'y fasses. Et tu t'y feras. Il s'agit de ce qu'on pourrait qualifier de « pornotopie ». Une utopie pornographique. Un lieu dont les occupants vivent ainsi vingt-quatre heures sur vingt-quatre. L'après-midi que nous venons de passer représente la norme ici. Cette norme repose sur un ensemble de règles strictes et inflexibles que chacun commence par accepter. Autant dire que nous n'agissons nullement sous le sceau du secret. Il existe des témoins de notre mode de fonctionnement. Ils sont d'ailleurs partie intégrante de cette « pornotopie » et, de leur présence, nous tirons un plaisir supplémentaire. On peut parler d'environnement total ou, du moins, d'une réplique convaincante. D'une réalité virtuelle.

Je tâche de réfléchir vite, mais mon esprit reste gourd. J'avale une gorgée de café et prends une profonde inspiration.

— Si je comprends bien, Mme Branden travaille pour toi. Elle sait ce que tu fais ici. Et cela lui convient.

— Et toi, cela te convient-il ?

J'hésite avant de répondre.

— Je... je n'en sais rien. Tout ce que je sais, c'est que ça me terrorise. C'est-à-dire que... que... Je suis incapable de déterminer si une situation qui me met dans l'état où je me trouve actuellement... Je ne suis pas sûre que cette situation me convienne. Je n'ai qu'une certitude : ces choses-là, je veux les vivre. Mais peut-être me faut-il un peu de temps pour savoir si elles me conviennent.

L'assurance avec laquelle je viens d'exprimer mon désir de continuer à subir ce que j'ai subi aujourd'hui me stupéfie. Jonathan hoche la tête.

— Tes remarques sont justes. Et ta démarche très courageuse. Ton raisonnement d'une grande subtilité. C'est d'ailleurs en partie pour cela que je te veux tout à moi : parce que tu es intelligente.

Il n'a pas son pareil pour distiller ce genre de bref compliment plein de bienveillance – il les glisse dans la conversation comme des grenades dégoupillées, chargées de réduire en miettes mes derniers remparts. Que répondre ? De quoi parlions-nous, déjà ?… Ah oui… J'enchaîne.

— Revenons à Mme Branden. Est-ce qu'elle aime ça ?

— Comment le saurais-je ? me répond-il en riant – un rire exquis, étonnamment ordinaire. Je ne l'ai jamais interrogée à ce sujet. Je n'en ai pas la moindre idée. Je la paie grassement et nous entretenons d'excellents rapports. Sans elle, j'aurais beaucoup de mal à faire respecter l'ensemble des règles en vigueur dans cette maison.

Il marque une pause.

— Je constate, poursuit-il, que l'entrée en scène de Mme Branden t'a heurtée, mais n'as-tu pas d'autres questions à me poser ?

— Eh bien… Énonce-moi quelques-unes des règles que tu viens d'évoquer.

— Lorsqu'il est prévu que tu viennes, tu viens. Je te propose deux soirs par semaine. Le week-end, tu arriveras le samedi en fin de journée pour repartir le lendemain midi. Tu devrais parvenir à concilier cet emploi du temps avec ton planning de cours. Je ne te monopoliserai pas plus qu'un petit ami. Voire moins. Tu entreras par la porte latérale. Mme Branden te mènera dans la cuisine. Tu t'y déshabilleras avant qu'elle te mette ton collier et ta laisse, ainsi que tout ce qu'il me plaira de te voir porter ce jour-là. Elle te conduira dans cette pièce, où elle t'enchaînera. Tu y resteras au garde-à-vous en attendant mon arrivée. Après quoi, tu feras absolument tout ce que je t'ordonnerai de faire. Il s'agit là de la partie la plus facile de tes activités.

— Tu parles…, je lâche en m'efforçant de dissimuler mon malaise et mon… oui : mon excitation – attendre au garde-à-vous…

— Tu as raison, concède-t-il. Ce n'est pas facile du tout. Mais je crois que tu y trouveras ton compte. Je suis un homme très méthodique, et je possède un grand sens des responsabilités. D'aucuns me jugeront affreusement ennuyeux. Je les comprends. Mais j'ai les qualités de mes défauts : tu me découvriras loyal, attentif au moindre détail, et tu pourras toujours compter sur moi. Le marché que je te propose me paraît extrêmement intéressant : tu fais tout ce que je te commande de faire, en échange de quoi je te permettrai d'obtenir une large part de ce que tu veux.

— Comment peux-tu savoir ce que je veux ?

— Inutile d'être devin… Tu es venue aujourd'hui, non ?

J'acquiesce d'un air grave.

— Pardon, sourit-il. C'était un coup bas de ma part. Le fait est que je sais ce que tu veux. Certes pas point par point, mais de façon globale. Je le devine à ton regard, à tes lèvres entrouvertes. Tu aimes qu'on te regarde, qu'il s'agisse de t'admirer ou de te dénigrer, qu'il soit question de t'adorer ou de te punir. Tu souhaites qu'on te *manipule*, qu'un désir plus égoïste et plus précis que le tien te prenne en charge. Tu aspires à ces instants de vide, de flottement, à ces moments où tu lâches prise, où tu te soumets, où tu comprends que toute résistance devient inutile. Tu brûles de tomber ainsi en chute libre en une fraction de seconde.

« Tu apprendras par ailleurs à supporter les détails triviaux du quotidien, l'aspect répétitif de nos séances, car je t'enseignerai, en contrepartie, les moyens de goûter ces instants exceptionnels que tu appelles de tes vœux. D'en jouir à tout coup. Je leur donnerai un tour narratif, je les ferai durer, j'en déterminerai peu à peu les modalités les plus susceptibles de te plaire. Et compte sur moi pour avoir toujours un temps d'avance sur toi.

Les flammes sifflent dans l'âtre et une bûche s'effondre, soulignant les propos de Jonathan de quelques ornements sonores et d'une gerbe d'étincelles. Paralysée, je tente de croire enfin à la réalité de ce que je suis en train de vivre. Je frotte la zébrure douloureuse sur ma main – soulagée que mon corps se rappelle à mon bon souvenir dans toute sa matérialité. Au regard sévère que je lui adresse alors, Jonathan m'oppose un œil serein. Il sait déjà que je lui appartiens.

Je frémis, mais je hoche machinalement la tête en signe d'assentiment. De nombreuses questions continuent pourtant d'affluer à mes lèvres.

— Mais supposons que je laisse tout tomber.

— Eh bien, réplique Jonathan avec un haussement d'épaules. Tu connais mon adresse. Et je vais te confier mon numéro de téléphone. Inutile de me donner le tien, je n'en ai pas besoin. Tu peux mettre un terme à notre arrangement quand et comme bon te semble. Tu m'écris. Ou tu m'appelles, à n'importe quelle heure, pour m'annoncer que tu ne viendras plus. Tu peux laisser un message sur mon répondeur. M'expédier un fax, un e-mail... Ou te contenter de ne jamais remettre les pieds dans cette maison. En revanche, si tu te présentes ici, je ne souffrirai de ta part aucun manquement.

Avec des manières d'homme d'affaires, il extrait de sa poche une carte de visite. Puis il passe en revue ce qui se trouve sur la table basse, jusqu'à y dénicher une enveloppe.

— Voici les coordonnées de mon médecin. Prends rendez-vous avec lui pour un test HIV. Demande-lui également un check-up complet. C'est moi qui paierai. Et voici une copie de mon dernier test de dépistage du sida. Tu pourras vérifier auprès de lui, si tu le souhaites. J'en fais un chaque mois.

— Chaque mois..., je répète. Supposons maintenant que je couche avec quelqu'un d'autre.

— Cela n'arrivera pas.

Je suis estomaquée.

— Pour qui te prends-tu ? Je reconnais que tu es un homme très séduisant, mais ce n'est pas ce qui m'empêchera d'aller voir ailleurs si j'en ai envie.

— Je suis ravi d'apprendre que tu te montres sensible à mon charme, mais il ne s'agit pas de cela. Tu n'entretiendras de relations sexuelles avec personne d'autre – du moins pendant ton temps libre –, parce que tu auras trop mal, tu te sentiras trop épuisée et trop repue pour y songer seulement. Crois-moi.

Je le crois. Ce qui ne m'interdit en aucun cas de désapprouver en silence cet odieux petit discours machiste. Le fait est que son ton m'impressionne : posé, sobre, détendu – il me semble l'entendre passer commande au restaurant.

Il fait surgir d'autres cartes de sa poche.

— Va chez le coiffeur de ma part. Réclame une coupe courte, dans le même genre que la mienne. Je te veux avec les cheveux très courts. Plus courts que les miens, même. Une coupe très masculine qui, toutefois, ne nuira en rien à ta féminité. Ce sera… Tu verras bien. Ils savent exactement ce que je souhaite. Ah, j'allais oublier : fais-toi épiler les jambes à la cire.

— Tu paieras aussi pour ça ? Tu paieras à chaque fois ?

— Oui. Je suis riche. Assez riche pour prendre ces frais à ma charge, en tout cas. En outre, je sais précisément ce que je désire, et j'ai passé beaucoup de temps à définir les moyens de parvenir à mes fins. Lorsqu'on a de l'argent, peu importe le prix des choses. Ce qui compte, c'est de les obtenir conformément à ses vœux. Donc, je paie. Ta tâche consistera à pratiquer assez d'exercice physique pour que ce joli cul embellisse encore, jusqu'à se fondre parfaitement dans le décor parfait qui t'entoure ici. Au fait, puisqu'il est question de décor : si nous nous entendons bien, nous pourrons nous offrir un petit séjour en Provence.

— Non !

J'ai hurlé avant d'avoir eu le temps de m'en apercevoir. Nous sommes aussi étonnés l'un que l'autre.

— Ce que je veux dire – je reprends, hésitante –, c'est que la Provence est un endroit réel, un lieu chargé d'histoire. Rien à voir avec le monde virtuel dont tu m'as parlé tout à l'heure. C'est une région qui m'attire et dont j'espère pouvoir un jour m'imprégner pour tenter de la comprendre. Ce jour-là, je le ferai en toute indépendance. J'y porterai mes vieilles lunettes de soleil et mes grosses chaussures de marche.

Un rictus ironique se peint sur ses lèvres.

— Dans ce cas, Rio, peut-être ?

— Peut-être.

Il faut environ deux semaines pour régler les divers détails – ma visite chez le médecin, le coiffeur, etc. Dans les lieux chic et chers où Jonathan m'envoie, personne ne semble se soucier qu'il prenne en charge toutes mes dépenses – à l'inverse, j'éprouve un profond sentiment d'humiliation, car j'en déduis que ces employés courtois et polis sont au courant de tout. Le coiffeur connaît les desiderata de Jonathan dans leurs moindres détails. Et en effet, le résultat de sa prestation ne « nuit en rien à ma féminité ». Au contraire. Je contemple mon reflet dans l'élégant miroir au cadre chromé sans plus pouvoir en détacher mon regard : ces cheveux ras donnent à mon visage un style futuriste ; je suis splendide. Comment diable Jonathan a-t-il deviné qu'une métamorphose aussi radicale porterait d'aussi beaux fruits ? De toute évidence, il a l'œil. Quelque chose, cependant, me trouble : à m'examiner encore, je songe que cette jeune femme dans la glace m'en évoque d'autres ; mais de qui s'agit-il ?

Je passe le reste de la journée à scruter mon reflet dans tous les miroirs, dans toutes les vitrines que le hasard place sur ma route. Le mystère demeure. C'est à quatre heures du matin que, m'éveillant en sursaut, la révélation m'assomme : je ressemble à ces Françaises qui, accusées d'avoir frayé avec des Allemands durant la Seconde Guerre mondiale, ont été tondues en représailles à la Libération. Mon Dieu. Est-ce bien ce que Jonathan avait en tête quand il a exprimé ses souhaits au coiffeur ? Dormir avec l'ennemi. Venir à lui de son plein gré. Se voir rétribué pour de tels services… Enveloppée dans ma couette, une tasse de café à la main, je fais les cent pas dans ma chambre pendant plusieurs heures. Je vais distraitement de la fenêtre au miroir et du miroir à la fenêtre, où l'aube grise finit par poindre. Puis le ciel s'éclaire peu à peu.

Il me faut ensuite fournir un tas de mensurations à Mme Branden, qui en échange me mesure à nouveau sur toutes les coutures – je répugne, sans le dire, à voir ainsi calibrées certaines parties de mon corps, rechignant surtout à imaginer l'usage qu'il sera bientôt fait de ces zones intimes. C'est dire combien je deviens raisonnable… Raisonnable ? Mais si j'étais raisonnable, voyons, jamais je ne me serais engagée dans une telle aventure. Et puis, un jeudi soir, juste après Halloween… Que le spectacle commence !

J'ai bien du mal, pourtant, à évoquer cette période. Je me sentais alors si gauche. J'avais l'air si empotée. J'aime, comme tout le monde, me rappeler les instants où je me trouve un brin de charme, j'aime me rappeler les remarques spirituelles qu'il m'arrive de glisser ici ou là… Mais ces débuts atroces… Prenons par exemple ma première visite chez Jonathan au terme des ultimes retouches et de mes mille et un rendez-vous…

À genoux, tremblante de peur et d'émoi, attachée à un crochet fixé dans le mur, je l'attends. Que va-t-il me dire ? Que vais-je éprouver au moment de faire l'amour avec lui ? (Je me demandais même alors – et c'est avec un peu de honte que je l'avoue aujourd'hui – s'il apprécierait ma coiffure !) Je patiente une dizaine de minutes, au terme desquelles il pénètre dans la pièce pour me toiser lentement, la mine impassible.

— Comment comptes-tu me saluer ?

La question piège. Évidemment, je n'en ai pas la moindre idée. Fouillant dans mes souvenirs des romans pornographiques que j'ai naguère dévorés, j'incline la tête pour baiser sa chaussure… et c'est ainsi que je barbouille copieusement le bout de son soulier avec ce rouge à lèvres cramoisi qu'il vient d'acheter pour moi ! Pour me punir, il m'inflige un violent coup de cravache (je n'en ai encore jamais vu, mais les connaissances que j'ai acquises au fil de mes lectures érotiques m'ont permis de l'identifier au premier coup d'œil). Après quoi, il m'ordonne de lécher sa chaussure pour en ôter le rouge à lèvres.

— Bien sûr, me décrète-t-il ensuite, tu ignorais comment me saluer, puisque je ne te l'ai pas encore enseigné. À l'avenir, tu éviteras de faire semblant de savoir si tu ne sais pas. Épargne-moi aussi, veux-tu, les niaiseries que tu as apprises dans tes récits coquins d'adolescente.

Le coup de cravache m'a certes ébranlée, mais c'est surtout sa froideur et le dédain qui perce dans sa voix qui me font souffrir le plus – il conservera ce ton glacé durant les semaines à venir. La sensiblerie qui me submerge me paraît ridicule, mais rien à faire : il m'a blessée. Non qu'il se soit montré particulièrement affectueux lors de nos premières conversations, mais je l'avais alors trouvé ouvert, et volontiers élogieux. Il avait évoqué ma beauté, mon intelligence, mon « joli cul »… Pendant ces semaines de dressage, à l'inverse, je me résigne bientôt à ne plus rien entendre de tel.

Car c'est bien de « dressage » qu'il s'agit. Et même si mes lectures de prédilection m'ont préparée à ce qui est en train de se passer, je me sens à la fois insultée et meurtrie. Je me suis sottement figuré que je saurai d'emblée assouvir le moindre de ses désirs – j'étais allée jusqu'à croire qu'il avait placé des miroirs un peu partout dans la pièce. À présent que je me trouve au centre de la scène à la place d'O, de Jamie, de ces dizaines d'héroïnes dont les aventures me ravissaient il n'y a pas si longtemps, je mélange les genres. Je me représente des viols simulés, tels qu'on en découvre dans les mauvais bouquins piochés au hasard des rayons de supermarché – « Immobilisée par une poigne de fer, elle se pâma sous les assauts de son désir affamé ». Voilà. Pour tout dire, je m'attendais à me pâmer beaucoup, tandis que le « désir affamé » de Jonathan se chargerait du reste. Je me suis trompée.

Assurément, Jonathan sait ce qu'il veut – quoi, quand, où et comment. Cette précision me stupéfie et m'apaise. Personne d'autre ne connaît ses propres appétits avec une pareille acuité. Du moins, aucun des garçons que j'ai fréquentés ne les a-t-il aussi méticuleusement exprimés. Pas même Éric, mon plus cher amour, avec qui je suis allée jusqu'à vivre pendant quelques mois. Nous tirions pourtant une grande fierté de nos ébats sexuels : c'était bruyant, c'était partout et tout le temps – la cabine de douche avait notre préférence. Nous nous montrions prévenants l'un envers l'autre, tâchant de deviner nos envies respectives – nous avancions néanmoins à tâtons, car nous étions tous deux trop timides pour solliciter ouvertement telle ou telle faveur.

Jonathan n'est pas timide. Et il ne sollicite rien. En phrases rigoureuses, il exige. « Exactement » constitue notre mot-clé. J'en viens à m'interroger : que savent les gens « ordinaires » des désirs de leur partenaire, puisque personne, en général, n'ose rien réclamer ? Pour satisfaire son conjoint, peut-être faut-il être marié depuis plusieurs dizaines d'années – car on peut être parvenu au fil des ans, à force de tentatives, ou sur un coup de chance, à découvrir la formule magique. Cette hypothèse ne me séduit guère. C'est pourquoi l'arrangement que nous avons conclu avec Jonathan m'apparaît chaque jour plus logique : il s'est arrogé le droit d'obtenir ce qu'il désire, tandis que j'ai pris, en échange, l'engagement d'accéder au moindre de ses souhaits.

Mais, pour l'heure, je suis loin d'avoir atteint la perfection, aussi me traite-t-il comme un chiot qui multiplie les âneries. À ceci près qu'il ne me manifeste pas la tendresse dont on fait preuve envers un jeune animal. Je peux cependant filer la métaphore : j'ai l'impression de fréquenter une école de dressage canin. D'ailleurs, Jonathan a suspendu un humiliant petit médaillon de cuivre, gravé à mon prénom, au nouveau collier de cuir brun que Mme Branden passe autour de mon cou chaque fois que je pénètre dans la maison en fin d'après-midi – nous sommes à la fin de l'automne.

Je vis des heures difficiles, des heures avilissantes. Pis : où donc est passée sa promesse de m'épuiser sexuellement, de me baiser à m'en faire mal, de me repaître de stupre ? Il ne me baise en réalité que très rarement, préférant, neuf fois sur dix, s'introduire dans ma bouche – et plus particulièrement : au fond de ma gorge.

Je me sens d'autant plus mal à l'aise que je n'excelle pas dans ce domaine. Les premières fois, je suis secouée de haut-le-cœur – je me cabre à l'instant même où Jonathan me voudrait soumise, abandonnée, les lèvres épousant sa queue et les narines chargées de son odeur, la gorge ouverte, prête à accueillir sans résistance ce sexe qu'il y enfourne de plus en plus loin.

Il me manifeste une patience dénuée d'affection. « Fais attention », insiste-t-il, sur quoi il me bat. Il me bat beaucoup. Il se montre d'une précision redoutable, presque abstraite. Je suis terrorisée. En ira-t-il toujours ainsi ? Et pourtant. Insensiblement, je progresse – j'en décèle les premiers signes (ténus) dans le frisson maintenant plus prononcé de ses orgasmes. Je finis par comprendre que c'est justement ce qu'il souhaite : que je le contemple à travers cette brume de larmes et d'effroi. Ma bouche, cet orifice si intimement lié par la parole à la conscience, à l'intelligence, il exige que je l'utilise, avec intelligence et conscience, pour adorer, accepter, caresser chacun de ses replis, le moindre contour, le parfum de son sexe. Dès lors, jouir revient pour lui à métamorphoser l'intelligence active en réceptacle pur. Il m'offre, je m'en rends compte à présent, un échange à nul autre pareil, bien au-delà du simple partage de fluides corporels. Je tire maintenant une immense fierté de ce que je suis en train d'accomplir.

Il me faut encore, bien sûr, mentionner les mille et un trajets à quatre pattes, le cul toujours bien haut, les poignets de cuir, les gifles reçues pour mes bêtises et mes maladresses, les coups de badine dont Jonathan m'accable lorsque j'ai parlé sans autorisation, ou lorsque je lui manque de respect. Il me châtie aussi, de façon plus subtile, pour ce qu'il a, au tout début, appelé mes « manquements ». Par « manquements », il entend, notamment, une excitation trop forte, des emportements qui m'empêchent de saisir assez vite ce qu'il attend de moi. Un « manquement », ce peut être encore l'erreur de me laisser submerger par l'une de ses rares marques de tendresse – quand, par exemple, il me caresse la joue après que je lui ai rapporté un objet entre mes dents. Car je commets parfois la folie d'espérer que cette main douce passera assez près de mes lèvres pour que je l'embrasse, que je la lèche, que j'en suce l'un des doigts… J'ose d'ailleurs le faire à plusieurs reprises, et j'en tire tant de joie que je me moque bien qu'il me menotte ensuite en représailles.

Affectueux, il ne l'est pour ainsi dire jamais. Il n'est pas question d'affection entre nous. Il est question de luxure. Par-delà ma gaucherie, mes incohérences, par-delà ma gêne quelquefois, par-delà ma confusion, la luxure emporte tout. Dans cette atmosphère de lascivité permanente, je m'étourdis, je sombre. J'ai beau rentrer chez moi endolorie, humiliée, malheureuse, en me jurant de ne jamais remettre les pieds dans cette maison, j'honore immanquablement notre rendez-vous suivant.

Et puis un jour, il me prend par-derrière. Cela se produit – je ne plaisante pas – par une nuit sombre et orageuse. Peut-être pensez-vous que j'essaie de vous entraîner dans je ne sais quel délire gothique. Libre à vous de le croire. Le fait est qu'il s'agit bel et bien d'une nuit sombre et orageuse. Et quoique, en général, le climat n'influe pas sur mon humeur, j'avoue que, ce soir-là, je me sens pleine d'une fougue un peu colérique en accord avec le temps. Oui, pareille à la nuit qui s'avance, je suis sombre et orageuse au point que, en grimpant la colline dans la pluie et le vent qui siffle à mes oreilles, je peste intérieurement : comment ai-je pu être assez sotte pour sortir ce soir, dans l'unique but qu'on me fouette le derrière ?

Jonathan à l'inverse, dont la minutie ne me surprend plus, ne laisse jamais le soleil ou l'averse peser sur son caractère. Rien ne saurait le contraindre à dévier de ses plans.

Je sonne. Mme Branden se présente à la porte, aimable et silencieuse, comme à l'accoutumée. J'ôte mes vêtements, puis je les secoue pour les débarrasser de l'eau de pluie avant de les suspendre à la patère. Je gagne ensuite la petite pièce attenante à la cuisine, dont j'allume la lumière, très vive, pour me maquiller avec un soin presque maniaque. Comme à l'accoutumée.

Comme à l'accoutumée, je me rends dans la cuisine où, assise sur une chaise, je laisse la gouvernante lacer mes chaussures. Il s'agit ce soir-là de bottines marron munies de crochets au niveau des chevilles, ainsi que de talons d'une hauteur extravagante. Je pourrais me chausser moi-même, mais il est inscrit dans le règlement que cette tâche incombe à Mme Branden. Ensuite vient le collier, muni de son vilain petit ovale de cuivre où est inscrit mon prénom. Puis les poignets de cuir assortis. Ces derniers, à l'instar du collier, se révèlent si rigides que je continue d'en sentir la morsure, même après les avoir enlevés. La gouvernante les referme dans mon dos, fixe la laisse au collier, puis elle me mène dans le bureau. Comme à l'accoutumée. Mais cette fois, au lieu de me conduire à côté du crochet scellé dans le mur, elle me fait avancer jusqu'à une ottomane de cuir placée devant la cheminée.

— Mets-toi à genoux dessus, me commande-t-elle d'une voix égale. Baisse la tête. Lève les fesses et écarte bien les cuisses.

Je m'exécute, après quoi Mme Branden attache la boucle de mon collier au crochet dont le siège est pourvu : mon visage se retrouve pressé contre le cuir. Elle écarte fermement mes genoux, puis passe les boucles de mes bottines dans les deux autres crochets de l'ottomane. Elle place alors ses mains expertes sur mes hanches, afin de redresser un peu mon cul, selon un angle idéal. Enfin, elle s'éclipse sans un mot.

Il me faut maintenant attendre l'arrivée de Jonathan. Je peux ainsi patienter deux minutes. Ou vingt. Dès nos premiers rendez-vous, j'ai mesuré la chance qui m'est offerte de jouir d'un tel décor : des vitraux aux fenêtres, un superbe tapis d'Orient, sur les murs plusieurs tableaux de maître, des livres plein les étagères – auxquels, hélas, je n'ai pas le droit de toucher – et la cheminée. Certains jugeraient peut-être ce cadre un peu tape-à-l'œil comparé au reste de la demeure, où règne une sobriété proche du dépouillement (on y profite cependant de tout le confort high-tech qu'on est en droit d'attendre dans une maison de ce standing). Mais ce bureau constitue une véritable scène de théâtre, dont j'aime l'hyperréalisme, la débauche de coloris profonds et de matières, l'épaisse chaleur de cocon. Ce soir-là, malgré ma figure écrasée contre le cuir, je distingue les flammes qui dansent dans l'âtre, je les entends pétiller. Je me concentre sur ce feu, pour tâcher d'oublier le bruit de la tempête et de la pluie, pour oublier le raclement des branches contre les vitres. Pour repousser loin de moi les mille questions qui me tenaillent sur la suite des événements. Je divague si bien que je n'entends pas entrer Jonathan – lorsqu'il entreprend de libérer mes poignets, je sursaute.

— Écarte les fesses avec tes mains, dit-il.

Presque aussitôt, je perçois le contact d'une substance glacée : il enduit mon anus de crème. « Ouvre », répète-t-il très doucement. Puis, avec une extrême lenteur, il commence à y introduire un godemiché en latex d'une longueur et d'un diamètre à peu près équivalents à ceux de son sexe en érection. Il opère si posément, avec une telle constance et selon des voies si tortueuses, me semble-t-il, que même si je voulais résister, je ne saurais pas à quel moment le faire, ni quels muscles solliciter. Au lieu de quoi, je suis en train de découvrir, tandis que Jonathan, sans relâche, continue de me souffler le mot à l'oreille, qu'il est bel et bien possible de s'« ouvrir » entièrement. Cela me subjugue. Cela me terrifie.

Il enfonce l'objet jusqu'à la garde. Je crie peut-être. En tout cas, je gémis en tremblant de tous mes membres. De nouveau, une sensation de froid contre mon cul : trois petites chaînes pendent à la base du gode. L'une, depuis mon sillon fessier, suit à présent, sur mes reins, ma colonne vertébrale. Les deux autres, passant entre mes jambes, se glissent de part et d'autre de ma chatte. Toutes trois se trouvent fixées à une mince ceinture de cuir noir que Jonathan boucle dans mon dos. Ma lecture assidue d'*Histoire d'O* me permet de reconnaître l'objet, mais l'émoi qu'il me procure, lui, ne ressemble à rien de ce que j'ai éprouvé jusqu'ici. Je me languis de ses mains, de sa voix, de son désir. J'ai l'impression, ouverte comme je le suis, d'abdiquer une part de mon autorité, tant face au monde extérieur que face à mon corps dans son infinie jubilation. Si j'échoue, ne serait-ce qu'une seule fois, à combler les attentes de Jonathan, je dégringolerai dans un enfer situé au-delà de l'ego et de la conscience.

Il me détache avant de m'aider à me remettre debout. Puis il m'embrasse, l'œil interrogateur. Je me surprends à lui rendre son baiser avec une égale perplexité. Un trouble nous a envahis tous deux. Sans doute a-t-il envie de savoir ce que je ressens ; sans doute brûlé-je de connaître ses volontés. Mais mon questionnement se fait à présent plus intense. « Si je ne réussis pas à te donner ce que tu désires, j'en mourrai. » Il recule d'un pas pour m'examiner quelques instants en silence.

— Est-ce que ça te fait mal ?

— Non, Jonathan. Pas exactement. Ce que je ressens est différent de tout ce que j'ai ressenti jusqu'à aujourd'hui.

— Dans ce cas, parlons-en.

Il s'installe sur un siège, puis me distribue une série d'ordres banals – tels qu'on en donne à un chiot : marcher, me lever, m'asseoir, m'accroupir, faire la belle, me déplacer à quatre pattes, me toucher, lui rapporter divers objets entre mes dents. Curieusement, l'intensité de chaque action me paraît amplifiée. M'ayant commandé de le dévêtir, il me prend longuement sur le tapis – sans que jamais le gode entrave nos mouvements. Il me demande ensuite de me lever, cependant qu'il demeure allongé sous une couverture écossaise. Appuyé sur un coude, il m'observe.

— Décris-moi l'effet que produit sur toi ce godemiché.

Je baisse les yeux vers lui. Je me sens faible, j'ai les jambes en coton et le bassin douloureux. J'ai froid. Mes cuisses frissonnent, luisantes de sueur et de sperme. Je finis par trouver les mots, non sans piquer un terrible fard ; j'articule lentement.

— J'ai l'impression d'avoir été une très, très vilaine fille, Jonathan.

— Tu as pourtant fait merveille ce soir, tu as été une gentille fille, me répond-il sur un ton empreint de douceur. C'est étrange, n'est-ce pas ? Mais ne t'épuise pas à tenter de comprendre.

Il se lève, récupère son pantalon sur le fauteuil où je l'ai déposé plus tôt. Il en retire la ceinture.

— Mets-toi à genoux sur le fauteuil, ordonne-t-il gentiment. Je vais te frapper. Ensuite, tu te retourneras afin que je te cingle un peu les seins. J'ai envie de les voir rosir. Après quoi, je retirerai ton gode. Tu peux passer la nuit ici. Une petite chambre t'attend à l'étage, à l'autre bout du couloir par rapport à la mienne. Je ne veux pas que tu traverses le pont par ce temps. C'est trop dangereux.

« Ne t'épuise pas à tenter de comprendre » ? C'est pourtant ce que je m'empresse de faire. Plus tard, mon ami Stuart et moi revenons mille fois sur ce qui s'est joué cette nuit-là. Je connais Stuart depuis notre première année de fac – en juin, à peine les examens bouclés, nous sommes devenus colocataires. Il a poursuivi ses études de lettres jusqu'à obtenir un poste d'enseignant-chercheur – sans doute en aurais-je décroché un, moi aussi, si j'en avais fait la demande. Les soirs où je ne me rends pas chez Jonathan, Stuart me masse les épaules, puis me lit les poèmes de François Villon ou les romans des sœurs Brontë. Nous partageons un grand appartement, à Mission District[1], avec un chauffeur UPS et une magicienne (Jo travaille en fait dans un bureau pour gagner sa vie, mais elle effectue ses tours de passe-passe lors de fêtes d'anniversaire – je lui trouve du talent). Rien que de très ordinaire, en somme, dans le genre jeunes adultes sans avenir : un livreur, une employée prestidigitatrice, un universitaire et une coursière à vélo qui se mue le soir en esclave sexuelle. Une masse laborieuse en miniature, typique de l'ère postindustrielle, autrement dit : improductive et mal payée.

Seul Stuart est au courant de mes aventures avec Jonathan. Jo et Henry ne s'en offusqueraient pas, mais j'ai préféré d'emblée ne mettre que Stuart dans la confidence – la situation se révèle si difficile à expliquer et à saisir, y compris pour moi.

Stuart, qui se considère peu ou prou comme bisexuel, est surtout un garçon timide. En sorte que

---

1. L'un des quartiers de San Francisco. *(Toutes les notes sont de la traductrice.)*

si j'écoute d'une oreille attentive ses histoires de cœur et si je fais de mon mieux pour le consoler en cas de chagrin d'amour, c'est surtout moi qui l'abreuve inlassablement de mes récits en quémandant son soutien. Ajoutons au tableau notre goût immodéré pour les théories intellectuelles – un vice contracté sur les bancs de la fac. Nous passons donc le plus clair de notre temps, allongés sur son lit, à tenter de saisir l'essence de mes rapports avec Jonathan.

— Peut-être ne s'agit-il au fond que d'une relation d'objet, dis-je en divaguant un peu. Je pense à *Malaise dans la civilisation*, de Freud. Il s'agirait d'aller à l'encontre des exigences sociales qui conduisent à renoncer au plaisir égoïste là où, en général, on donne au contraire dans le politiquement correct. Par exemple, le père de Jonathan était riche, mais il ne s'est jamais occupé de lui.

Stuart prend le temps de peser mes paroles.

— Les théories de la relation d'objet, c'est bien gentil, à condition de les booster un peu du point de vue philosophique. J'en appelle donc aussi à Hegel et aux rapports entre le maître et l'esclave. Apprendre à se connaître en dominant l'autre. Sans aller néanmoins jusqu'à le dévorer, sinon le jeu ne vaut plus rien. Tu ne m'as pas l'air prête à te laisser dévorer, du moins pas lorsque tu portes ta tenue de coursière.

« Les cours de sciences sociales que nous avons suivis ne nous permettent d'y voir plus clair qu'en traitant toute cette histoire comme une pathologie. Je n'en ai pas l'intention. Une pathologie ? Alors que tu t'épanouis sexuellement et que je tiens mon rôle de voyeur avec délectation ? Hors de question. Tu es mon héroïne !

Sur quoi il se tourne vers moi. Il attend manifestement quelque chose.

— Tu as gagné, dis-je avec un soupir. Je vais te montrer mes nouvelles ecchymoses. Je vais même t'autoriser à les effleurer. Mais d'abord, apporte-moi une tasse de chocolat arrosé de rhum et deux marshmallows. Allume aussi la télé, c'est l'heure de *Cheers*[1].

---

1. Série télévisée américaine.

2

Bip Bip et Coyote

Ces théories ne me convainquent guère, mais il semble que Jonathan et moi avons fini par établir entre nous une routine – si tant est qu'on puisse parler de routine dans ces circonstances : un mode de fonctionnement. Ainsi, dès lors qu'il a entrepris de me sodomiser régulièrement, je me suis surprise à l'en remercier de façon systématique, sans qu'il m'y ait jamais contrainte. Je viens, en somme, d'ajouter ma touche personnelle à l'ensemble des règles qu'il a édictées. En guise de récompense pour les progrès accomplis, il troque enfin mon affreux collier de chien contre un tour de cou en cuir noir luisant. Les fessées demeurent, bien sûr, ainsi que les coups et les humiliations. Après tout, il s'agit des fondements mêmes du jeu auquel nous nous livrons. Mais ce jeu nous place, j'en ai acquis la certitude (peut-être grâce aux théories intellectuelles dont je me gave), en équilibre instable : nous nous situons à la lisière de la honte, nous nous aventurons jusqu'aux frontières ténébreuses de l'humanité. C'est d'ailleurs à dessein, je suis prête à le parier, que Jonathan a choisi pour décor ce bureau qui, à l'inverse, exalte les plus hautes valeurs de la civilisation : nous évoluons parmi les livres, les œuvres d'art, les meubles anciens… L'ironie de la chose ne m'a pas échappé, et je goûte le clin d'œil à sa juste valeur – du moins chaque fois que je suis en état de le faire.

Tandis que l'hiver s'éternise, Jonathan m'apporte de nouveaux jouets : de méchantes petites pinces pour mes mamelons et d'autres parties tendres de mon anatomie, parfois munies de clochettes. Il lui arrive de demander à Mme Branden de me faire boire une tasse de café à mon arrivée, puis de m'interdire d'uriner. Je finis par m'accroupir au-dessus du pot de chambre qui m'est réservé dans un coin de la pièce ; si des gouttes tombent à côté, je les lèche.

Il essaie sur moi plusieurs types de fouets, de même que de larges battoirs en cuir. Un jour, « pour le plaisir », précise-t-il, il se sert d'une brosse à cheveux aux poils très durs – je sors de notre séance extrêmement meurtrie. Une autre fois, il utilise un cuir à aiguiser les rasoirs, tel qu'en possédaient jadis les barbiers et qu'il a commandé tout exprès pour moi sur catalogue. Au moment de Noël, puis durant le mois de janvier, les cadeaux ne cessent d'affluer. Des présents qui me blessent ou m'avilissent, que je découvre quelquefois sous le sapin dont il a décoré son bureau, enveloppés dans un joli papier. À charge pour moi de les ouvrir – sans déchirer l'emballage, cela va de soi –, puis de le remercier. Face à certains objets, je reste interdite, ignorante de l'usage qu'on en fait. Ainsi de ces « dispositifs d'amélioration de posture », datant de l'ère victorienne, dont il tâche de me faire deviner le maniement avant de passer à la démonstration pratique.

Cette fois, les aiguilles du sapin ont séché, elles sont tombées, on a déposé l'arbre dans l'allée pour que les éboueurs l'emportent. C'est alors que viennent les costumes. Pas à chaque séance, tant s'en faut, car en général Jonathan me préfère nue, à l'exception des poignets de cuir et du collier. Mais, au moment où je m'y attends le moins, je découvre à la cuisine un accessoire vestimentaire. De tout petits corsets très étroits, par exemple, pourvus d'un ensemble complexe de jarretelles. Noirs dans la majorité des cas, mais j'en porte également de blancs, en mousseline ou en toile de coton – les lames qui les soutiennent sont d'authentiques fanons de baleine. Les crochets et les lacets possèdent le don de faire sortir Mme Branden de ses gonds. Contrainte de presser un genou contre mes fesses pour tirer assez fort sur les lacets, comme on le voit faire aux femmes de chambre dans les gravures du XVIIIe siècle, elle transpire et se met à jurer. D'ordinaire si posée, elle va un jour jusqu'à me gifler sous le coup de l'exaspération.

Si les corsets sont de véritables objets anciens, ils trouvent leur contrepoint dans les chaussures. Car ces dernières, sous lesquelles je croule littéralement, témoignent du versant kitsch et vulgaire de Jonathan – eh oui, cette facette de sa personnalité, qui m'avait d'abord échappé, m'a surprise autant que vous quand je l'ai découverte. Je porte donc des souliers affreusement clinquants. Et affreusement douloureux pour la cheville et le cou-de-pied. Où diable déniche-t-il ces talons aiguilles de quinze centimètres, en lamé argent ou ornés de paillettes violacées ? Ces engins pourvus d'un bon million de petites lanières ? Dans les échoppes où s'approvisionnent les drag-queens, sans doute, ou bien Tina Turner. J'enfile, pour parfaire mon accoutrement, des bas noirs à coutures, dont Jonathan aime qu'ils terminent la soirée en lambeaux.

Je repense souvent, tandis que la gouvernante me pare, à ce que Jonathan m'a dit lors de ma première visite chez lui : que j'apprendrais à supporter une banalité dans nos rapports. Il avait raison. Je me suis accoutumée à cette platitude, à la répétition d'une partie du rituel. Jonathan, pour sa part, jouit sans mélange de me voir ainsi affublée en poupée Barbie – je l'imaginais plus raffiné. Lorsque j'ai exhibé pour la première fois le corset blanc à baleines, il s'est mis à tourner lentement autour de moi d'un air songeur en laissant échapper un murmure d'aise.

Il m'a fallu un peu de temps, malgré mes lectures et mes fantasmes, pour saisir tout l'intérêt de ces accessoires fétichistes. J'ai dû les porter à plusieurs reprises pour comprendre qu'ils agissaient les uns par rapport aux autres. Le corset, par exemple, porté avec des talons démesurés, permet à mon cul de saillir remarquablement. De même, mes seins se trouvent mis en valeur, la largeur impressionnante du collier me contraignant à garder le dos bien droit et la tête haute. Il m'arrive de songer que mon corps ne m'appartient plus, qu'il est devenu celui de Jonathan, dont le bon plaisir l'a modelé pour le lui rendre le plus attrayant possible. Je me retrouve à sa merci, sans espace intime où me retrancher. Parfois encore, je me surprends, non sans gêne, à souhaiter de toutes mes forces me présenter à lui dans cet accoutrement, à adopter face à lui ces postures – je rends grâce alors à cet attirail qui m'oblige à m'exhiber si outrageusement. La plupart du temps, je me sens écartelée entre ce désir trouble et mon envie de rébellion, sans parvenir à maîtriser vraiment l'un ou l'autre, sans jamais regagner mon équilibre.

Le murmure appréciateur que Jonathan a laissé échapper en m'examinant fait naître en moi un tel sentiment de puissance que ma tête tourne un peu. J'adore le découvrir dans cet état d'excitation. Il vient se plaquer contre moi, pose les mains sur mes fesses et embrasse mes épaules.

— Selon toi, susurre-t-il, Emily Dickinson[1] portait-elle ce genre de corset sous ses robes blanches ?

---

1. Poétesse américaine (1830-1886).

Je ne m'attendais pas à cette question, mais après tout, il m'a promis dès le début de notre relation de garder toujours une longueur d'avance sur moi… Je me compose un visage grave et respectueux.

— Je n'en sais rien, Jonathan. Il ne me semble pas, mais je l'ignore.

— Elle a pourtant connu l'époque des corsets, observe-t-il en me frictionnant les fesses puis en les pinçant. Et sa belle-sœur[1] ? Celle qui s'envoyait en l'air sur la table de billard ?

Il est vrai qu'alors, dans le sud des États-Unis, les élégantes se harnachaient de cette façon. Mais Jonathan se soucie peu des héritières de plantations pâmées devant Rhett Butler dans leurs robes à crinoline. Il préfère songer à Emily, cette terrible bonne femme qui écrivait :

« J'aime l'air de l'agonie / Parce que je sais que c'est vrai. »

Bref, portait-on également des corsets à Amherst[2], dans le Massachusetts ? Tandis que Jonathan me mène jusqu'au canapé, force m'est d'avouer mon ignorance. Je ne sais rien des habitudes vestimentaires de la poétesse ni de sa libidineuse Susan.

— Et moi qui te croyais tellement cultivée, m'assène-t-il. Heureusement que je suis là pour prendre en charge ton éducation.

---

1. Emily Dickinson a entretenu une relation forte et tendre avec Susan Gilbert, qui épousa plus tard le frère de la poétesse.
2. Ville natale d'Emily Dickinson.

Assis sur le sofa, il m'ordonne de m'agenouiller face à lui. Il m'embrasse, mes seins reposant au creux de ses paumes. Il lui arrive souvent d'en titiller les bouts pour qu'ils durcissent, telles deux cerises de pierre. En général, il sort ensuite les pinces à mamelons, mais cela ne les effraie en rien : mes tétins continuent de se tendre sous sa caresse. Soumis. Humiliés. Car si je peux parfois me montrer indocile, mes seins, eux, restent au garde-à-vous. Cette fois, néanmoins, pas de pinces à l'horizon. Jonathan continue à m'embrasser, explorant de sa langue l'intérieur de ma bouche en faisant rouler mes mamelons entre ses doigts. Je renonce à vouloir percer ses intentions. Peut-être, au fond, ne souhaite-t-il rien d'autre que ce qu'il est en train de faire. Je devrais pourtant me méfier – quel signal ai-je manqué ? Que va-t-il inventer pour me punir ? Mais je me sens si bien, si détendue… Quelques coups me paraissent un prix modique à payer.

Il desserre mon collier. D'un seul cran, certes, mais je gagne en liberté de mouvement, je peux renverser un peu la tête en arrière, je peux haleter, frissonner et gémir.

Ses lèvres glissent jusqu'à l'un de mes seins, l'une de ses mains se promène sur ma chatte. Sa langue et ses doigts ne sont plus qu'obstination, patience, inquisition assidue. Il possède des mains merveilleuses. De temps à autre, il réalise l'une de ces maquettes étonnantes que les architectes continuent de fabriquer en dépit des progrès de l'informatique et de la technologie. Jamais je ne le vois à l'œuvre, mais je découvre, de loin en loin, sur une étagère de son bureau, le pot de glu et le cutter, le modèle réduit gagnant au fil des semaines en taille et en complexité – à imaginer ses longs doigts maniant avec délicatesse la mousse et le balsa, je deviens folle de désir.

L'un de ces doigts, justement – non, deux de ces longs doigts s'introduisent lentement dans mon anus, tandis que, de l'autre main, il persévère, en menus cercles concentriques, autour de mon clitoris. Il me semble que ces délices ne connaîtront plus de fin. Je nage dans la félicité. Je me fais l'effet d'une marionnette dont les fils seraient attachés à sa chatte et à ses seins : qu'on tire dessus, même imperceptiblement, et je plonge, ou bien je me mets à danser. Vaincue enfin, je me rends, je hurle, je laisse échapper un léger rire de gorge avant de m'effondrer entre les bras de Jonathan. Je m'efforce de reprendre haleine, mais le volcan qui s'est éveillé en moi ne s'éteint plus.

— Allonge-toi sur le sol, me souffle-t-il dans le cou en poussant sur mes épaules.

Me soumettant à la pression de ses mains, je me retrouve sur le dos. Il s'agenouille à côté de moi, m'oblige à plier les jambes puis à les lever. Il les écarte afin de mordiller doucement mes cuisses, juste au-dessus des bas noirs. Il lèche, il mâchonne, il embrasse – il me savoure consciencieusement, des lèvres, de la langue et des dents.

Mon ventre tremble sous le corset étroitement lacé. La bouche de Jonathan, progressivement, presque avec distraction, grimpe vers mon sexe, dont il écarte les lèvres avec la langue, tandis que ses mains sur mes hanches m'empêchent de bouger. Je brûle pourtant de me cambrer. L'agitation dans mon ventre s'accentue, ce sont à présent des orbes qui se propagent, des vagues centrifuges. Une part de moi voudrait repousser Jonathan – mes sensations m'emplissent presque d'effroi, sa langue et son haleine folles m'inquiètent. C'est ce souffle chaud sur ma chatte, aussi ténu qu'envahissant, qui me tire des plaintes – suis-je en train de geindre pour de bon ? Je crois bien que oui. Mais Jonathan ne me permettra pas de le repousser, je le sais, comme je sais qu'en réalité je souhaite qu'il ne s'arrête plus jamais. Mon bassin oscille d'avant en arrière en quête de sa langue. Mon bassin traque sa langue, puis un instant il feint de lui échapper pour mieux s'y livrer à nouveau. À nouveau je gémis, puis je hurle jusqu'à l'explosion finale. Il me semble qu'on m'a précipitée depuis une hauteur vertigineuse et, déjà, me voici flaque sur le tapis, tandis que, par les vitraux, la lumière de cet après-midi d'hiver vient se poser obliquement sur moi.

Jonathan demeure assis près de moi, suivant d'un doigt les coutures compliquées de mon corset. J'ignore combien de temps s'écoule ainsi. Après quoi il se rassoit sur le canapé.

— À genoux, me commande-t-il. Cuisses tendues.

Je tressaille. Ça y est, me dis-je, je sais ce que je n'ai pas fait. J'ai compris trop tard ce qu'il voulait. Je lève les yeux vers lui. Allongé sur le sofa, il a croisé les jambes. Qu'attend-il de moi à présent ? Faut-il que je le remercie ? Que je lui exprime ma vénération suivant un rituel que je suis censée connaître ? Ou dois-je me contenter de jouir de cette extraordinaire sensation d'épuisement ? Je ne lis sur ses traits ni colère ni réprobation. De la bienveillance au contraire.

— Bien, lâche-t-il en me scrutant avec attention.

Que dire ? Je le vois, comme à travers une légère brume, se pencher vers moi pour serrer de nouveau mon collier.

— Bien, répète-t-il avec un sourire. Très bien. J'aime beaucoup l'expression de ton visage. J'y décèle un mélange de surprise, de gratitude, de peur et de confusion. C'est parfait.

« J'ai éprouvé autant de plaisir à faire ce que nous venons de faire qu'à te battre ou à te prendre par-derrière. C'était différent, mais aussi délectable. J'en avais envie depuis longtemps, mais avant aujourd'hui, ça n'aurait pas marché. Je peux t'assurer que je me suis retenu pendant des mois, et que ça n'a pas été une partie de plaisir.

Je vois mal où il veut en venir, d'autant plus que, dans l'état où je me trouve, mes efforts ne visent qu'à m'éviter de m'écrouler sur le tapis. Il ne compte pas me punir, ai-je néanmoins la force de penser. Il est en train de me révéler des choses importantes, qu'il me faut écouter avec attention, alors qu'en cet instant je ne rêve plus que de barboter à jamais dans le bonheur de mon corps. Et de dormir, là-haut, au fond du lit de Jonathan, tandis qu'une douce brise s'insinuerait dans la chambre par la fenêtre ouverte…

— Écoute-moi, m'ordonne-t-il en me soulevant le menton.

Il complète son geste d'une petite tape sur la joue.

— Oui, Jonathan – je chuchote. Pardon, Jonathan.

— C'est mieux. J'adore te voir suivre les règles alors que tu n'en as pas la moindre envie. Mais dans le fond, c'est à ça que servent justement les règles, n'est-ce pas ?

J'acquiesce dans un murmure. Respectueuse des règles. Maudites règles, qui soudain redonnent forme à l'univers que Jonathan a bâti autour de nous – mes tendres songeries volent aussitôt en éclats. Je m'avise que cette leçon est partie pour durer et que cela ne me plaît pas.

— Tu as appris énormément de choses, poursuit Jonathan sur ce ton pédant qu'il adopte quelquefois. Tu es loin d'avoir atteint la perfection, mais tu progresses chaque jour. Tu as appris à t'ouvrir, à te rendre disponible pour moi, à te montrer attentive à mes désirs. Tu as appris à accepter les châtiments que je t'impose. Il faut dire que le châtiment n'est rien, comparé à une souffrance infligée gratuitement

– une souffrance que je t'inflige par pur plaisir. Si l'envie me prend de voir des marques sur tes cuisses, je frappe tes cuisses. Si l'envie me prend de te voir pleurer, je m'arrange pour que tu pleures. Nous sommes bien d'accord. Aujourd'hui, tu as appris que, si l'envie me prend de te combler, je possède aussi les moyens de le faire.

Croyez-le ou non, mais j'avais oublié depuis un moment que la satisfaction des deux partenaires constituait le but de la relation sexuelle – du moins, dans la majorité des cas.

— Le soir où nous nous sommes rencontrés, lors de cette réception sans intérêt, tu t'es imaginé que j'allais t'amener ici pour t'offrir ce que je viens de t'offrir, n'est-ce pas ?

— Oui, Jonathan.

Cet aveu me remplit de honte.

— Dans ce cas, pourquoi t'aurais-je refusé ce que tu souhaitais ? Tu le mérites. Un jour, tu rencontreras peut-être quelqu'un d'aussi séduisant que toi, et qui méritera autant que toi de jouir des plaisirs de la chair. Vous passerez des nuits torrides, tu soutiendras ta thèse de doctorat, tu écriras des livres et tu auras des enfants.

« À ceci près que ce n'est pas ce que moi, je désire. Et, pour le moment du moins, ce n'est pas ce que tu désires non plus. C'est pourquoi nous… Tu sais parfaitement à quoi nous jouons. Je me suis empêché jusqu'ici de te faire l'amour comme je viens de te le faire car, sinon, tu te serais méprise sur notre relation. Je me demande d'ailleurs si tu ne continues pas de te méprendre un peu. Je ne voulais pas que tu aspires à cet assouvissement, ni même que tu confondes ce qui vient de se dérouler avec une récompense ou une petite gâterie. N'attends rien de ce côté-là. N'appelle pas cette euphorie de tes vœux. Je te traiterai ainsi lorsque l'envie m'en prendra, et jamais tu ne pourras le prévoir. N'essaie pas non plus de faire naître en moi cette envie. Sinon, je te punirai très sévèrement. Tu as bien compris ?

— Oui, Jonathan, je murmure, un peu accablée.

— Je crois que oui, en effet.

Sur quoi il fait glisser sans façon la fermeture éclair de sa braguette.

— À mon tour, maintenant. Ouvre la bouche.

Plus tard, il me renvoie chez moi. C'est tout pour aujourd'hui, se contente-t-il de m'informer. En me rhabillant, je me remémore *Carousel*, une comédie musicale dont on a donné naguère une représentation dans mon lycée. À l'époque, nous avions tous ricané de sa mièvrerie, mais, dans le secret de mon cœur, j'adorais ce spectacle. Et j'ai pleuré ce soir-là à l'idée de ne jamais connaître l'amour. Puis je me suis endormie en tentant de me figurer une gifle pareille à un baiser. Cette gifle-là, je ne suis toujours pas parvenue à me l'imaginer. Mais désormais, je peux compter sur Jonathan pour me prodiguer des baisers pareils à des gifles.

Ainsi s'achève mon apprentissage. Cette ultime leçon représente en somme le trésor au pied de l'arc-en-ciel. Je sais à présent que tout ce qui pourra advenir désormais entre nous constituera la conséquence du pouvoir exclusif que Jonathan exerce sur moi. Il me l'a prouvé en cet après-midi d'hiver, aussi sûrement que la bombe d'Alamogordo est venue avérer un jour les théories d'Albert Einstein. Certes, je n'ignorais rien de tout cela avant, mais cette fois j'en prends pleinement conscience, et je m'en sens soulagée : je lâche prise. C'est comme si je commençais à rêver dans une langue étrangère – dans un langage fait de coups, d'humiliations, de plaisirs aussi rares qu'extravagants, de rituels, de formalités. Un langage complexe et mystérieux, fondé sur une phrase simple, unique, *sa* phrase : « Je veux. »

Je peux bien vous le confesser : j'adore l'entendre dire « Je veux ». Je m'en délecte comme d'un mantra. Le privilège que je lui accorde en me soumettant à ses désirs décuple les miens. À quelques semaines de la fin des cours à l'université, je dois un jour me précipiter dans les toilettes de la bibliothèque pour me masturber, surexcitée par la délicieuse injustice dont je suis la perpétuelle victime. Néanmoins, je lis aussi des ouvrages théoriques fustigeant les « malheureuses » qui, comme moi, se soumettent à un tel régime. Car, durant ce semestre, toutes les œuvres qu'on inscrit à notre programme me paraissent traiter de sexe. Ce que j'étudie devient à mes yeux la version érotisée, la version sadomasochiste de textes antérieurs. D'un point de vue strictement intellectuel, je me rebiffe : la vie ne se résume pas, tant s'en faut, à un plaisir charnel étayé par des rapports de domination. Je me révèle hélas incapable de me concentrer sur un autre sujet. Résultat : je ne dois qu'à un coup de chance de réussir mes examens. Ou, plus exactement, c'est à Jonathan que je dois ce succès.

En apparence, ma vie d'étudiante n'a subi aucun bouleversement. Je continue de rédiger des dissertations, je sors avec mes amis, dont certains savent que j'entretiens une liaison avec un mystérieux inconnu, sans exiger pour autant que je leur livre la moindre confidence. Ce printemps-là, une seule chose change dans mes habitudes : je troque la natation contre la course à pied – c'est qu'il m'est devenu impossible de me déshabiller dans les vestiaires, vous devinez pourquoi…

Au mois de mars, je suis aux anges : une lettre m'annonce qu'une obscure revue universitaire s'apprête à publier l'article que j'ai proposé l'automne précédent à ses animateurs. Le professeur qui m'avait alors conseillé de leur soumettre mon travail insiste pour ouvrir une bouteille de champagne – il en conserve toujours une dans le petit réfrigérateur de son bureau, « pour les premiers succès d'édition », m'explique-t-il. Je lis et relis la missive du comité de rédaction, jusqu'à la connaître par cœur.

C'est la première fois que je me présente en retard – d'un bon quart d'heure – chez Jonathan. Un peu pompette de surcroît. Les pommettes rouges et l'œil ahuri, je pénètre dans la maison, escortée par Mme Branden. Lorsque Jonathan me rejoint, je lis sur son visage un mélange de sourde inquiétude et de rage contenue. Mais à peine lui ai-je exposé, à sa demande, la raison de mon retard, qu'un large sourire éclaire ses traits ; il se métamorphose.

— C'est formidable, Carrie ! se réjouit-il en détachant la chaîne de mon collier. Absolument génial. Je savais que tu en étais capable. Va me chercher la canne. Je vais t'en donner cinq coups pour ton retard.

Ainsi ma double vie reprend-elle son cours, étrange, oui, mais régie par sa propre logique. L'avenir, en revanche, prend pour moi la forme d'un énorme point d'interrogation. Que se passera-t-il lorsque j'aurai obtenu ma licence ? Car, pour m'engager dans un troisième cycle universitaire, il me faut changer d'établissement. Mon indécision est telle que je repousse sans cesse au lendemain mes envois de candidature. Plus rien ne compte, sauf ce formidable roman d'aventures, qu'à la fois je lis et dont je suis en train de vivre les péripéties. Plus rien ne m'importe, sauf le plaisir que je prends à en tourner les pages.

Il est maintenant trop tard pour déposer où que ce soit un dossier d'admission. Je m'en moque, et j'annonce autour de moi que je compte m'offrir une année sabbatique. Je possède bientôt un argumentaire parfaitement huilé : qui, dis-je à mes proches, pourrait se vanter de connaître vraiment l'Amérique postmoderne sans avoir d'abord cédé un moment à la torpeur intellectuelle ? Je répète mon grand principe à tout bout de champ jusqu'à ce qu'un jour ma langue fourche, et que j'énonce « torture » au lieu de « torpeur ». Par bonheur, mon interlocuteur s'imagine que j'évoque la torture du travail salarié, mais dès lors je choisis de me taire.

Il m'arrive de me demander si je ne sombre pas dans le même genre de folie que celle dont souffrent les membres des sectes, adoratrices de Charles Manson ou adeptes du révérend Moon. Suis-je en train de gâcher un futur prometteur ? Je ne le crois pas. Certes, je fais tout ce que Jonathan me commande de faire, mais je me sens autrement moins exploitée qu'une caissière de supermarché. Par ailleurs, je ne compte pas lui obéir le restant de mes jours. Toujours est-il qu'une fois mes examens en poche je deviens coursière à vélo. Jamais Jonathan ne m'a interrogée sur mes intentions, persuadé qu'il est, me semble-t-il, que je ne lui échapperai pas de sitôt. Pour ma part, je ne souhaite qu'une chose : approfondir notre relation, poursuivre notre mystérieux périple. Je nous vois un peu comme Bip Bip et Coyote – archétype du couple éternel rejouant, avec leurs infinies variations, les thèmes millénaires du pouvoir et du désir, de l'ingéniosité, de la répétition et de la douleur. Un jour, me dis-je, je baisserai un instant les paupières pour m'apercevoir que j'avance dans le vide. Ce jour-là, je tomberai comme une pierre pour m'écraser sur le sol. Mais ce jour-là n'est pas pour tout de suite. Au contraire, je me réjouis d'apprendre, après avoir confié à Jonathan mon nouvel emploi du temps, qu'il m'accordera désormais, chaque semaine, quelques heures de plus à ses côtés.

En juillet, deux mois après que j'ai mis un terme provisoire à mes études, il m'annonce qu'il doit bientôt passer quinze jours à Chicago pour raisons professionnelles.

— Je veux que tu m'accompagnes, poursuit-il. Ce serait dommage de nous couper dans notre élan, et je n'ai pas envie d'interrompre aussi longtemps nos séances.

Agenouillée face à lui, les reins cambrés, je lui réponds que je vais réclamer à mon patron un peu de congé. La perspective d'une escapade à Chicago en plein mois d'août me révulse – sans doute Jonathan m'autorisera-t-il à fréquenter l'Institut d'art une heure ou deux par jour, tandis qu'il vaquera à ses occupations et que la femme de ménage briquera notre chambre d'hôtel. Après quoi, il me faudra patienter, à quatre pattes, jusqu'à ce qu'il rentre du travail, épuisé et tendu, la cravate desserrée, la chemise et les bretelles moites – il règne dans la ville, en cette saison, une chaleur étouffante. Peut-être embauchera-t-il quelqu'un pour m'enchaîner un peu avant son retour.

Rien de réjouissant, bien au contraire. Je me surprends pourtant à m'enthousiasmer : mon rôle d'instrument indispensable à l'orchestre intime de Jonathan m'excite. Pourquoi, en effet, se priverait-il de voyager avec son esclave ? À quoi bon posséder une soumise, si l'on ne peut en jouir lorsqu'on se sent à la fois stressé, chaud comme la braise et fourbu ?

Jonathan me caresse les épaules et les seins, il baise doucement mon front.

— Déshabille-moi, murmure-t-il.

Comme il me l'a enseigné, je commence par ses chaussures, dont je dénoue les lacets avec mes dents, pendant qu'il ôte sa chemise et fait glisser la fermeture éclair de son pantalon. Nous nous sentons aussi émoustillés l'un que l'autre – l'un et l'autre imaginant l'escapade prochaine à Chicago, même si j'ignore jusqu'à quel point nos fantasmes se rejoignent. Nous procédons avec lenteur comme si, déjà, nous étions en train d'évoluer dans la touffeur accablante de la ville. Je le suce. Je gobe ses testicules, que je promène doucement à l'intérieur de ma bouche. Il me caresse le visage.

Puis, s'écartant de moi, il m'ordonne de choisir un fouet parmi tous ceux qui, pendus à des crochets, ornent l'une des vitrines. Comme dans un rêve, j'opte pour le plus lourd des deux chats à neuf queues, dont les lanières se terminent par un nœud. Pourquoi ai-je élu le plus gros ? Peut-être parce que je désire souffrir davantage, ou parce que je sais qu'il est le préféré de Jonathan, ou, plus simplement, parce qu'il constitue pour moi le plus beau de la collection. Je le lui tends en silence. Il m'en effleure la poitrine.

— Inutile de compter les coups, précise-t-il.

J'obtempère d'un hochement de tête. Cela signifie qu'il n'a plus besoin d'entendre le son de ma voix pour déterminer à quel moment j'ai absorbé mon content de souffrances.

Ayant entravé mes mains au-dessus de ma tête, il entreprend de me fouetter, presque langoureusement, depuis mes genoux jusqu'à mes épaules, devant comme derrière. Je sens sur mon corps plusieurs millions de petites piqûres, qui semblent ne jamais devoir s'apaiser. Je halète et je geins sans le lâcher des yeux : je contemple ses cuisses, les muscles de ses avant-bras, sa bouche, sa superbe queue rougie en pleine érection, dont les veines saillent avec élégance. Lorsqu'il me libère, je m'effondre entre ses bras. Il me soulève du sol. Aussitôt, j'enserre sa taille de mes jambes pour tenter avidement de m'empaler sur son sexe, dont le manque m'est devenu intolérable. Je ne suis pas censée manifester une telle ardeur, je le sais, mais aujourd'hui je m'en moque. Qu'est-ce que je risque en agissant ainsi ? Qu'il me fouette à nouveau ? Je devine qu'il ne le souhaite pas. Le voilà assis dans son fauteuil à présent, où il me manœuvre avec un mouvement de piston, les mains plaquées sur mon cul brûlant, les lèvres dans mon cou, les lèvres sur mes seins. De temps à autre, il y met aussi les dents.

Après que nous avons joui tous les deux, il continue de me couvrir le visage de baisers, puis je l'embrasse à mon tour avec la même fièvre que lui, la même fureur et la même faim, comme si nous nous tenions prêts à nous dévorer vivants – comme si le sexe et le fouet ne nous avaient pas rassasiés, sans que nous sachions pour autant ce que nous désirons de plus. Je demeure un moment sur ses genoux, le temps de reprendre haleine avant de me remettre debout. Il se lève aussi. Nous nous dévorons cette fois pour de bon, lui d'abord, ensuite moi, jusqu'à ce que nous ayons retrouvé suffisamment d'énergie pour baiser à nouveau. Dans son lit.

— Nous devrions nous autoriser un brin de confort, pour une fois, me dit-il en m'entraînant vers l'escalier.

Au terme d'une courte sieste, il déboucle mon collier et m'expédie à la cuisine, où je dévalise le réfrigérateur avant de regagner sa chambre. Enfin, je m'en vais, à sa demande, dormir d'un sommeil de plomb dans la petite pièce qui m'est réservée à l'autre bout du couloir.

Le lendemain matin, je pars travailler sur un petit nuage – je suis Scarlett O'Hara après la scène de l'escalier. Je me remémore nos instants les plus torrides, et je me surprends à glousser en me rappelant son insistance à m'emmener dans sa chambre pour y reprendre nos ébats. Nous l'avons eue aussi, me dis-je, notre scène de l'escalier !

À peine arrivée au travail, mes rêves s'évanouissent : l'un de nos meilleurs coursiers s'est blessé la veille, un autre vient de démissionner, en sorte qu'il règne dans la société une indescriptible pagaille. Je me démène toute la journée et, lorsque enfin je trouve une minute pour demander à mes supérieurs quelques jours de congé, je m'entends répondre que leurs effectifs sont trop réduits en ce moment, et que je ne travaille pas pour eux depuis assez longtemps. Déçue, je crains par ailleurs la réaction de Jonathan dont la mine, en effet, s'assombrit quand je lui annonce la nouvelle – il serre les mâchoires, tandis que je vois passer des ouragans dans son regard. La moiteur de notre lune de miel se change brusquement en glace.

— Ce n'est pas ta faute.

Il ne dit rien de plus, mais je pourrais presque l'entendre ajouter : « Et je le regrette, car j'aurais pu te rouer de coups de canne à t'en laisser à demi morte. »

La canne, il trouve cependant d'autres raisons d'en faire usage. Quoi de plus facile après tout, puisque c'est lui qui édicte les règles ? Nos rapports se tendent, ils reprennent presque le tour cérémonieux des débuts.

À ceci près que, cette fois, mon manque d'expérience n'est pas en cause. Le bât blesse au niveau de notre relation elle-même, de nos allées et venues entre la « vraie vie » et ce qui se joue lors de nos séances dans son bureau. Jonathan espérait, je crois, que j'allais démissionner. Mais je n'en ai pas l'intention, pas plus qu'il n'a l'intention de me demander de le faire. Je m'inquiète. Durant la semaine qui précède son départ pour Chicago, je ne suis pas à la fête. Je continue de me présenter chez lui, mais c'est pour y subir de continuelles remontrances et me voir infliger des châtiments corporels incessants. Je dois supporter plusieurs heures durant les pinces à mamelons. En outre, Jonathan ne me baise plus jamais, sinon par-derrière, avec brutalité. J'accepte tout, stoïque, songeant qu'il finira bien par changer d'attitude.

Mais à peine a-t-il grimpé à bord de son avion que j'éprouve une excitation sexuelle dont je suis la première surprise. J'avais prévu, durant son absence, de m'accorder de longues heures de repos, de dévorer quelques livres que, devant lui, j'avais fait mine de connaître déjà. Mais voilà que je m'endors sur ma lecture pour m'éveiller une main sur ma chatte. Je me résigne : il sera bientôt de retour. Mais en attendant je n'ai plus « mal », je ne me sens plus « épuisée » ni « repue », et cela me manque. Je commence à observer de plus près les garçons que je côtoie.

Et c'est ainsi que je déniche Kevin. Il serait plus juste de dire que c'est lui qui m'a dénichée. Car, au début, je le remarque à peine – pourtant, s'il m'arrivait de songer à autre chose qu'au sexe avec Jonathan, je m'apercevrais vite que Kevin fait tout pour que je le voie, multipliant les incursions dans le hall d'un des bâtiments où j'effectue de nombreuses livraisons : une ancienne usine de café, superbe édifice en brique au charme rétro où travaillent maintenant des programmeurs informatiques. Il répare les conduits de climatisation, me dit-il. J'oublie instantanément le détail de ses explications, pour ne retenir que deux choses : il gagne bien sa vie et appartient au syndicat des chaudronniers. Je le croise donc de loin en loin dans ce splendide hall de marbre, vêtu d'un bleu de travail fatigué entre les accrocs duquel je repère un caleçon de ski. Il a un regard bleu et des joues rouges, dans un visage poupin coiffé d'une casquette, qu'il porte à l'envers, et d'où s'échappent des mèches de cheveux d'un blond sale. Je note également ses chaussures : des chaussures de sécurité dont l'extrémité semble munie d'une coque en acier – à croire que Jonathan m'a transmis sa passion des souliers.

Lorsqu'au cours d'une journée de travail on fréquente plusieurs fois les mêmes lieux, on adresse, sans presque s'en apercevoir, des sourires aux gens qui les peuplent, réceptionnistes, sans-abri, vendeurs de fleurs… Kevin ne tarde pas à faire partie de ce décor familier, mais pour l'heure il se fond pour moi dans ce paysage sans que j'y prenne garde : Jonathan occupe le devant de la scène.

Son départ pour Chicago m'oblige à ouvrir les yeux. Au bout de quelques jours, je m'extasie sur ce beau jeune homme à la casquette de base-ball.

Comment se fait-il, pensé-je, qu'il traîne toujours dans les parages quand je viens livrer un paquet dans ces locaux ? Puis la lumière surgit dans ma cervelle. Idiote, me dis-je. Et je me lance.

— Salut !

Quelle formidable entrée en matière... Il s'engouffre néanmoins dans l'ascenseur avec moi, me demande mon prénom et me révèle le sien, tandis qu'enfin son charme opère. Comment ai-je pu me montrer aussi aveugle ? Car je raffole des garçons dans son genre, auprès desquels je me sens gauche et sexuellement affamée. Je suis un peu déçue qu'il n'interrompe pas la course de l'ascenseur entre deux étages – comme doivent pourtant savoir le faire tous ces ouvriers du bâtiment qui ne sortent jamais sans leur attirail d'outils autour de la ceinture. Mais il n'arrête pas l'engin. Peut-être ne le souhaite-t-il pas. Pour tout dire, il se révèle aussi gauche que moi. Ces trajets en duo se répètent les jours suivants : nous n'y progressons ni l'un ni l'autre. Puis, le vendredi, il m'invite à dîner chez lui.

— C'est une très mauvaise idée ! s'emballe Stuart lorsque je lui rapporte l'information le soir même. Ta robe est épatante, mais nous ferions mieux d'aller danser tous les deux. Ce dîner va être un fiasco.

Une robe épatante, en effet, une robe en soie fleurie, boutonnée sur le devant, débusquée au fond d'une boutique d'occasion, qui fait merveille avec de grandes chaussettes et des rangers.

— Fiche-moi la paix, Stuart. Jonathan ne m'a pas interdit de m'envoyer en l'air, il m'a simplement affirmé que je ne le ferais pas. D'ailleurs, je ne le ferai peut-être pas.

— Comme tu voudras. Mais tu baves devant ce garçon depuis une semaine. Je te parie que tu vas bondir dans son lit. Et tu vas t'en mordre les doigts. Es-tu sotte à ce point pour t'imaginer qu'il ne va pas remarquer les zébrures sur tes fesses ?

— Je trouverai une explication.

Kevin nous concocte un excellent repas à base de pâtes italiennes achetées chez un traiteur. Pour la conversation, en revanche, nous avons un peu de mal : mon travail, son travail, les conduits de climatisation… Mais son regard plonge souvent dans le mien et il n'est pas rare que nos doigts s'effleurent lorsque nous tendons la main vers la carafe ou la corbeille à pain. C'est une soirée douce, pleine à la fois de maladresse et de désir charnel – nous pressentons l'un et l'autre que les choses ne vont pas en rester là. Kevin habite à deux pas d'Ocean Beach, dans l'une de ces charmantes petites rues qui fleurent bon les embruns et qu'on croirait perpétuellement baignées par un épais brouillard maritime. Au terme du dîner, nous allons nous promener sur la plage. Il fait un froid terrible, contre lequel nous renonçons bien vite à lutter pour regagner l'appartement au pas de course ; nous pouffons tous les deux. Comme nous commençons à ôter nos pulls, il tend la main vers moi. Mais je nourris des projets plus ambitieux. À condition de choisir le bon moment. Allons, me dis-je… Un… Deux… Vas-y !

— Déshabille-toi entièrement, Kevin, je commence d'une voix calme, mais plus aiguë que d'ordinaire.

Stupéfait, il se fige. De quoi me laisser le temps de me ressaisir. Je m'assieds sur le canapé, croise les jambes et déboutonne posément mon dernier chandail.

— Tu as entendu ce que je viens de te dire – mon ton a gagné en assurance. J'ai envie de te regarder. De te regarder nu.

Pendant une fraction de seconde, j'ai la folie de croire qu'il va m'étrangler. Des scènes d'*À la recherche de Mister Goodbar* se matérialisent un instant devant moi. Mais rien ne se passe. Kevin demeure un long moment immobile, durant lequel j'observe ses yeux écarquillés par la surprise, légèrement embués ; sa bouche grande ouverte. Je reconnais cette attitude – lorsqu'il me sodomise, il arrive à Jonathan de me contraindre à regarder mon reflet dans le miroir. Enfin, Kevin commence à déboutonner sa chemise.

— Dépêche-toi.

J'ordonne avec une pointe d'impatience dans la voix.

Il m'obéit. J'éprouve un élan de… Oh, je ne connais rien de plus enivrant que le pouvoir.

Mais il met trop de temps à mon goût pour déboucler sa ceinture – peut-être tremble-t-il, peut-être a-t-il les mains moites. Comment m'y prendre à présent pour qu'il active le mouvement ?

— Tu es très maladroit. Approche. Retire tes mains une seconde.

Je le débarrasse de sa vieille ceinture noire, pareille à celles que portent les policiers. Je la plie en deux, la fais claquer contre ma paume. L'œil rivé à la bande de cuir, la mine inquiète, il finit en hâte de se déshabiller.

— Les chaussures et les chaussettes aussi.

Le voilà dans le plus simple appareil, avec ses cheveux blonds, son regard bleu et ses joues roses, avec son charmant petit cul rebondi. Avec ses avant-bras puissants couverts de poils dorés. Avec une queue impressionnante, en pleine érection. Je la dévore des yeux, tandis qu'il me considère, implorant – on croirait qu'il a envie de mourir.

— Ce n'était pas si terrible, hein ?

(Bon sang, si seulement je parvenais enfin à me détendre. Car, une fois aux commandes, il me faut mener la séance à son terme – je n'avais jamais pris conscience de cet impératif.)

Il secoue la tête en silence.

— Je m'appelle Carrie. Tu le sais déjà. Tu peux me parler si tu le désires. Moi, je vais t'appeler… Voyons… Je vais t'appeler Lucky.

Il ne paraît pas saisir l'allusion[1]. Pourquoi diable ai-je ajouté cette touche de méchanceté gratuite et prétentieuse ? Un jour, me dis-je, l'une de ses petites amies le traînera à une représentation d'*En attendant Godot* et sa soirée entière en sera gâchée. Peut-être bien toute sa semaine. Si je me montre si cruelle, c'est sans doute parce que je me sens mal à l'aise ; la perspective de rater mon coup me terrorise.

— Agenouille-toi devant moi, Lucky.

À peine s'est-il exécuté que je lui passe sa ceinture autour du cou comme une laisse. De l'autre main, j'empoigne ses cheveux à l'arrière de sa tête pour le contraindre à lever le menton, afin de pouvoir l'embrasser. Je trouve à ses lèvres un goût de sucre.

Je le débarrasse de la ceinture sans cesser de lui tirer les cheveux. Je plonge mes yeux dans les siens : il semble hypnotisé.

— Déboutonne ma robe.

Celle-ci est pourvue de deux dizaines de petits boutons anciens, en étain. Comme il effleure du bout des doigts celui du haut, je lui cingle les fesses avec la ceinture.

— Avec les dents.

Il ne s'agit pas d'une tâche aisée, mais Kevin s'en tire remarquablement bien. Quand il atteint ma taille, je lui caresse les cheveux en lui flagellant très

---

1. Lucky, personnage d'*En attendant Godot*, pièce de théâtre de Samuel Beckett, est une sorte d'esclave, un sous-homme que Pozzo tient en laisse.

légèrement le cul. Craignant soudain qu'il me tabasse à force d'exaspération, je défais moi-même les derniers boutons.

— Et maintenant, enlève ma culotte. Je t'autorise à te servir de tes mains. Mais d'abord, remercie-moi.

Pour l'esclave, l'acte de parole représente la part la plus difficile du labeur. Car il se trouve soudain obligé d'admettre que c'est son être tout entier qu'il soumet à l'humiliation – non plus seulement son enveloppe corporelle qui, elle, l'apparentait jusque-là à l'animal. Kevin me jette un regard chargé d'afflic-tion, ouvre et ferme la bouche à plusieurs reprises, puis se résout à lâcher un « merci » tellement misé-rable que je n'ai pas le courage d'exiger qu'il ajoute mon prénom.

Après qu'il m'a prestement débarrassée de ma culotte, j'écrase son visage contre mon sexe. Dès lors il lèche, il mordille ; il est très doué. Je commence à me détendre, à souffler – mon rôle de metteur en scène m'épuise. Mais le répit est de courte durée. Sans doute Kevin s'estime-t-il victime d'une escroquerie. Ou, plus probablement, j'ai, en le contraignant à me remercier, dépassé les limites de ce qu'il pouvait sup-porter : à présent, il exige une récompense.

Il lève la tête pour me jeter un regard noir et mena-çant. C'est un costaud, me dis-je. J'aurais tort de continuer à jouer avec le feu. Il se peut aussi que la position dominante me siée mal, et qu'il me faille admettre que je me trouve déjà à court d'idées.

— Très bien, Kevin. À mon tour, maintenant.

Je me glisse entre ses jambes. J'engloutis sa queue, plus raide encore que tout à l'heure. Si Jonathan, avec la maniaquerie qui lui est coutumière, n'exigeait pas systématiquement de pousser son sexe au fond de ma gorge, je crois bien que j'aurais toutes les peines du monde à satisfaire Kevin. Et sans doute ce dernier n'a-t-il pas prévu d'éjaculer dans ma bouche – il n'est pas le genre de garçon à exulter de cette manière dès le premier rendez-vous. Mais un rendez-vous comme celui de ce soir, jamais encore il n'en a eu. Incapable de se maîtriser plus longtemps, il jouit abondamment, il jouit follement ; son sperme dégouline le long de mon menton. Il l'a bien mérité, et je me félicite de lui avoir offert ce petit plaisir.

Exténué, il roule sur le flanc, évitant par la même occasion de me regarder. Au bout d'un moment, je me rapproche et lui caresse timidement les cheveux.

— Est-ce que tu me détestes, Kevin ?

Il se retourne vers moi. Tout va bien, me dis-je. L'orgasme l'a visiblement aidé à franchir le cap. Du bout du doigt, il effleure la croûte blanchâtre à quoi s'est réduite en séchant sa semence sur mon menton. Je le devine envahi tout à coup par une fierté un peu sotte.

— Non, me rassure-t-il, mais tu es complètement barrée. Tu aimes faire ce genre de truc à chaque fois ? Tu te trimballes aussi avec des tenues en latex ?

Que répondre ? Je lui dois la vérité, je crois. Je la lui révèle donc. Disons plutôt que je lui en livre un condensé, une version expurgée. Je lui narre les aventures de Jonathan et de Carrie, mais ce sont des aventures *light*. Néanmoins, je lui montre les zébrures que le fouet a laissées sur mes fesses ; Kevin paraît vivement impressionné.

Une expression étrange passe alors sur ses traits. Ayant pris une profonde inspiration, il se décide à parler.

— Il faut que je t'avoue quelque chose, me déclare-t-il avant de s'éclipser quelques minutes.

À son retour, il me met sous le nez une paire de menottes.

— Je garde ça dans le tiroir de ma table de chevet. Je les ai taxées l'année dernière à l'un de mes oncles. Un flic à la retraite. Quand je les ai vues dans le tiroir de son bureau, j'ai… Tu sais, dans les séries télé, ils font tous joujou avec ces machins-là et, pour moi, ça représente le symbole même du plan sexe sophistiqué. Je me suis demandé ces jours-ci si j'aurais le cran de les utiliser avec toi ce soir. De t'imaginer menottée à mon lit, ça m'a rendu chaud bouillant toute la semaine. Cela dit, je ne sais pas si je me serais lancé pour de bon.

Les menottes… Le seul accessoire en vente lors de la Folsom Street Fair[1] à être entré de plain-pied dans l'imagerie « grand public » du sexe insolite. Personnellement, je ne les trouve pas sexy pour deux sous. Peut-être parce qu'au contraire de bien des gens je

1. Grande fête des fétichistes du cuir ayant lieu tous les ans à San Francisco.

n'ai jamais tenu les policiers pour des amis ni des ennemis ; ils me sont indifférents. Quoi qu'il en soit, le SM se manifeste plutôt pour moi à travers les colliers, les corsets, les cravaches et les talons aiguilles. Pour Kevin, il réside tout entier dans les menottes. De quel droit l'en blâmerais-je ?

— Elles ne doivent pas être tendres pour les poignets, j'observe poliment en effleurant du bout des doigts l'intérieur des cercles métalliques.

— Ah ça non ! s'empresse-t-il de répondre avant de rougir un peu de son enthousiasme.

J'en déduis qu'il les a essayées. Je l'embrasse dans le cou avant de me blottir contre lui. Bientôt… Bientôt, nous nous embrassons bel et bien à bouche que veux-tu… et le vœu de Kevin se réalise : il m'emporte avec un air de triomphe jusqu'à sa chambre, où il me menotte à la tête de son lit – je confirme : ces bracelets font un mal de chien. Peu importe, car je le devine heureux comme un roi (il a en outre la délicatesse d'enfiler un préservatif sans que j'aie seulement songé à le lui demander). Je prends plaisir à le sentir aller et venir en moi, même affublée de ces stupides menottes. Au fond, ce n'est que justice après ce que je lui ai fait subir lors de l'épisode « Lucky ». Je me réjouis en outre de le satisfaire parce qu'il m'a permis d'apprendre quelque chose sur moi – même si je le pressentais avant ce soir : dans le rôle de dominante, je ne vaux pas un clou.

L'épisode Kevin, en dépit des maladresses de part et d'autre, m'a au moins permis d'apaiser un tant soit peu l'appétit sexuel qui me tenaille. Enfin, je parviens à lire quelques ouvrages. Je profite de mes brèves vacances, mais j'ai hâte que Jonathan revienne. À avoir tenté d'inverser les rôles avec mon chauffagiste de passage, je n'en apprécie que davantage les compétences de mon maître. Je me rappelle que, lors de notre rencontre, il m'a affirmé que, selon lui, j'étais douée pour le SM. Et je l'entends encore m'assurer calmement que lui-même s'y montrait extrêmement habile. Aujourd'hui, je prends pleinement conscience de son talent. Il me tarde de reprendre avec lui nos jeux ardents.

Le samedi de son retour, Mme Branden me sangle dans un corset noir, dont elle serre les lacets plus fort encore que d'habitude. Lorsque Jonathan fait son entrée, il détache la laisse fixée à mon collier.

— Debout, m'ordonne-t-il. Laisse-moi te regarder.

Je me tiens parfaitement immobile face à lui qui, immobile face à moi, me scrute. Son visage est pâle, ses traits tirés. Mais je le trouve toujours aussi beau. Plus beau – il me paraît toujours plus beau quand il est tendu. Enfin, sans un mot, il passe un doigt dans l'anneau de mon collier et, de sa main demeurée libre, il me flanque une gifle magistrale. Puis il recule d'un pas, croise les bras sur sa poitrine. Il ne semble pas aussi furieux que cette taloche pourrait le laisser penser. Néanmoins, il me fait un peu peur.

— Je suppose qu'il s'agissait d'un garçon, commence-t-il gentiment. J'aurais préféré une fille, mais c'était un garçon, n'est-ce pas ? Quel genre de garçon, Carrie ? Un coursier comme toi ? Un mauvais poète ? Ou peut-être bien les deux à la fois ? Un type avec un piercing dans le nez ? Alors ?

Comment a-t-il deviné ? Je ne porte pas la moindre marque. Ou plutôt si : celles qu'il m'a laissées avant de partir pour Chicago ! Sans doute un petit quelque chose a-t-il changé en moi sans que je m'en aperçoive. Ne serait-ce que l'admiration nouvelle que je lui porte depuis mes ébats avec Kevin – et dire que c'est cette touche supplémentaire de respect qui m'a probablement trahie ; quelle ironie. Il aura aussi repéré, me dis-je, à un brin de circonspection, à une pointe de détachement, qu'il ne constitue plus l'intégralité de mon univers sexuel. Quelque chose dans l'équilibre qui régit nos rapports s'est modifié. La différence est infime, certes, mais Dieu ne gît-il pas dans les détails ? Et lorsqu'on se révèle, comme moi, une piètre menteuse, ce sont ces détails-là qui vous échappent à tout coup.

— J'ai une amie, poursuit-il. Un génie de la discipline. Elle possède trois esclaves, qui l'adorent. Elle joue au poker avec elles. Elles se tiennent nues sur des coussins de soie, et elle les punit avec beaucoup de sévérité si elles s'avisent, par la voix, le geste ou la position de leur corps, de lâcher la moindre information sur les cartes qu'elles ont en main. C'est absolument délicieux. Je t'emmènerai chez elle, un jour. Peut-être. Elle t'écorchera vive.

Il me gifle une seconde fois.

— Tu n'as pas répondu à ma question. Fille ou garçon ?

Ce qu'il craignait avant son départ se confirme : nous avons perdu notre élan commun. Ces deux semaines de séparation m'ont rendu notre relation plus incongrue qu'elle ne l'était auparavant. Les droits qu'il possède sur ma personne l'autorisent-ils à lire dans mes pensées ? Je n'en suis plus si sûre. Et puis, s'il ne voulait pas que je baise avec quelqu'un d'autre, il n'avait qu'à me le dire ouvertement – au lieu de quoi il s'est contenté de me servir ce petit discours machiste selon lequel ses prouesses suffiraient à mon bonheur, y compris en son absence. Kevin et moi avons en outre utilisé un préservatif. Où est le problème ? Quel casse-pieds, parfois…

— Le fait est, comme tu le dis si bien, que ç'aurait pu être un homme ou une femme, un garçon ou une fille, Jonathan. C'était un garçon.

J'ai parlé posément, avec une diction parfaite.

Il prend une profonde inspiration, fait volte-face pour contempler un moment le paysage par la fenêtre. Lorsqu'il se retourne vers moi, je retrouve sur ses traits l'ironie que j'y lis en général.

— Je suis trop fatigué pour réfléchir vite, me confie-t-il, mais, par bonheur, tu viens de me faciliter les choses. Il ne t'est pas permis de me reprendre sur la manière dont je m'adresse à toi. Jamais. Va chercher la canne. Je vais t'en donner quinze coups. Puis je déciderai de la suite à donner aux événements.

Il y a de la férocité dans la main qui abat le bâton d'osier sur moi, au point que je n'essaie même pas de retenir mes larmes. Une fois la punition terminée, il me regarde d'un œil noir sangloter et renifler.

— À genoux, m'ordonne-t-il avec lassitude. Et tais-toi.

Je fais de mon mieux pour apaiser mes pleurs. Alors seulement vient l'interrogatoire.

— De quel genre d'individu s'agit-il ?

— Un ouvrier du bâtiment, Jonathan.

— Le centre-ville en regorge, commente-t-il avec un hochement de tête. J'aurais dû m'en douter. Mais je n'imaginais pas que tu appréciais les baraqués. À mon avis, il devait plutôt donner dans le genre gros bébé. Je me trompe ?

— Non, Jonathan, je murmure.

— Bien. Je ne t'ai jamais dit que tu ne pouvais pas t'envoyer en l'air. D'ailleurs, je ne suis pas surpris que tu l'aies fait. Accepterait-il de venir ici ? Penses-tu qu'il m'intéresserait ?

N'ayant jamais envisagé cette possibilité, je dois solliciter toutes mes cellules grises pour tâcher de lui fournir une réponse dans un délai raisonnable. Je songe au petit cul rebondi de Kevin, à sa figure d'angelot. Je songe à ses airs outragés et meurtris. Les réponses tombent sous le sens, mais je peine à rassembler mes idées.

— Oui, Jonathan, je pense qu'il t'intéresserait. Non, il n'accepterait jamais de venir ici.

Ce « jamais » paraît le contrarier un peu.

— Tu as pris sainement ton pied, c'est bien ça ? Rien de dégoûtant, rien de tordu entre ton ami le castor et toi. On baise et on fait un câlin. Point.

Je voudrais qu'il cesse, à présent. Mais il ne cessera pas. Justement. Je suis autorisée à sortir avec qui je veux mais, de son côté, il fait valoir son droit de propriété. Voilà ce qu'il est en train de me signifier sans ménagement.

— Eh bien…

Je m'efforce de gagner du temps.

Il m'examine durement. Il réfléchit.

— Il me semble avoir entendu : « Eh bien… Pas exactement, Jonathan. » Dans ce cas, envisageons une pointe de fantaisie avec ce Biff, ce Sluggo ou ce Wally – peu m'importe son prénom. Quoi qu'il en soit, c'est intéressant. Amusant, même, si ça se trouve. Je ne pensais pas que tu me décevrais, Carrie.

D'un tiroir qu'il vient d'ouvrir, il extrait un morceau de haschich emballé dans du papier aluminium, ainsi qu'une petite pipe, qu'il allume avant d'en tirer une bouffée, puis de me la tendre. J'aspire timidement à mon tour.

— Je viens de passer deux semaines exténuantes, au cours desquelles il ne m'a pas été donné une seule fois de prendre un peu de bon temps – hors quelques vieux pornos avec Nina Hartley sur une chaîne de télé payante, le soir à l'hôtel. Une histoire salace.

Rien ne me ferait plus plaisir. Et rapportée par une experte en la matière. Car si, en général, je t'accorde peu la parole, c'est précisément parce que je connais tes talents de conteuse. Alors, vas-y, raconte. Raconte-moi l'histoire d'Eddie Haskell[1] et de Carrie. Mais n'oublie pas qu'il me reste assez d'énergie pour te corriger si tu lésines sur les détails.

Il s'assied, tire à nouveau sur sa pipe. On croirait un jeune sultan trop gâté fumant son narguilé. De l'autre main, il fait glisser la fermeture éclair de sa braguette pour en extirper son sexe qui, proche de l'érection, frémit déjà sous ses propres caresses. Il me tend la pipe, dont j'aspire cette fois une large bouffée. Après quoi, agenouillée de nouveau face à lui, le dos bien droit, j'entame mon récit. Je suis Shéhérazade.

Je ne mégote pas sur les détails. Au contraire : je pimente les faits et, par la fiction que j'élabore, j'en améliore le déroulement. J'ai contraint Kevin, dis-je, à déboutonner ma robe avec ses dents (Jonathan hausse un sourcil, sans m'interrompre), puis je m'appesantis sur la formidable érection du jeune homme, je la décris avec minutie, j'insiste sur la quantité phénoménale de sperme qui finit par jaillir de sa queue. Sa condescendance envers « ce Biff » ou « ce Sluggo » va-t-elle lui permettre de supporter ma fable ? Je le vois grimacer un peu, mais le haschich est en train de produire son effet, en sorte que Jonathan

---

1. Personnage d'une série télévisée américaine des années 1950, devenu l'archétype du flagorneur, du lèche-bottes.

choisit de s'amuser de la situation au lieu de s'en formaliser – je note d'ailleurs que mon compte rendu l'excite beaucoup.

Jamais encore je ne m'étais exprimée aussi longtemps dans cette maison sans qu'on me coupe la parole. Le son de ma voix (à quoi, sans doute, il convient d'ajouter l'influence de la drogue) me transporte. Je nage en plein ciel. Puis je ralentis la cadence, je multiplie les détails. J'évoque avec satisfaction le préservatif – Jonathan s'en réjouit également, mais il réclame un exposé plus *hard* ; je fais de mon mieux avec le peu dont je dispose. Je coule un regard en direction de son sexe, ce qui me vaut une légère tape sur la joue en guise de réprimande. Va-t-il éjaculer avant le terme de mon histoire ? Soudain saisie par une furieuse envie de relever le défi, je fais tout pour que cela se produise. Hélas, il ne tarde pas à percer mes intentions et réfrène en proportion ses ardeurs. Sa maîtrise est impressionnante (même si elle n'est pas parfaite), si bien que j'ai presque le temps d'atteindre l'épisode des menottes – qui marque le dénouement de mon récit – avant qu'il saisisse l'anneau de mon collier pour ployer ma tête jusqu'à sa queue, dont la semence gicle à flots dans ma bouche, noyant les derniers mots de mon conte.

Par la suite, notre relation prend un tour nouveau. Vraiment nouveau. Peut-être en serait-il allé de même sans mon aventure avec Kevin ; je l'ignore. Quoi qu'il en soit, le duo exclusif que Jonathan et moi formions jusqu'ici s'ouvre sur l'extérieur : des personnages secondaires font leur apparition. Un après-midi, mon maître m'enseigne à gainer un sexe masculin au moyen d'un préservatif, avec autant d'empressement que d'attrait – j'ai l'impression d'être Gigi affairée autour du cigare de Gaston[1]. Après quoi des invités se présentent à la villa. De vieux amis de Jonathan, qui prennent un verre en fin de soirée – je passe de main en main tandis qu'ils évoquent ensemble le bon vieux temps. Ou alors ils m'allongent sur le sol, et deux d'entre eux s'activent : l'un me pénètre pendant que l'autre jouit dans ma bouche. L'un de ces duos fait preuve d'une telle synchronisation que je les soupçonne d'avoir pratiqué l'aviron dans la même équipe durant leurs années d'université.

Il arrive que ces petites réunions se déroulent ainsi, au gré des envies de chacun. Mais parfois Jonathan préfère jouer les imprésarios, dans l'intention d'offrir à ses camarades un spectacle de qualité. Dans ce cas, il prend soin de leur indiquer que je mouille beaucoup, et qu'ils auraient tort de craindre de me faire mal, ma bassesse naturelle me suffisant à éprouver une vive excitation sexuelle. Au terme des ébats, il

---

1. Dans *Gigi*, une nouvelle de Colette, la grand-mère et la grand-tante de Gigi (qui jetteront leur dévolu sur le beau Gaston) apprennent à la jeune fille tout ce qu'elle doit savoir pour séduire un homme et le garder – et notamment à choisir un cigare à doigts nus.

m'ordonne de remercier ses invités, auxquels il sait gré de leur dévouement, ajoute-t-il, car j'ai grand besoin qu'on m'utilise.

À qui cette comédie est-elle destinée ? Jonathan agit-il ainsi pour mon édification ? A-t-il entamé là un nouveau cycle d'enseignement en me soumettant à des épreuves de plus en plus avilissantes dans l'intention de me prouver que, contre toutes mes attentes, je réussis à les endurer ? Ou bien agit-il dans son propre intérêt ? Peut-être, me dis-je, n'attendait-il que le moment où j'aurais appris à ouvrir correctement tous mes orifices pour me partager avec ses amis ? À moins qu'il ait pas décoléré depuis ma stupide escapade avec Kevin et qu'il me signifie par ces jeux cruels que je ne suis guère qu'une traînée. Néanmoins, il se montre souvent si affable avec moi que je ne crois pas qu'il me reproche encore d'en pincer pour les jolis garçons musclés équipés d'une grosse queue. D'ailleurs, le rythme trépidant de ces petites sauteries ne tarde pas à s'apaiser. Nous reprenons, à mon grand soulagement, nos activités « normales ».

Ce qui ne signifie pas que ses amis ne se montrent plus du tout, mais les séances collectives se font plus rares et plus raffinées. Un jour, par exemple, il m'expédie à l'étage, dans la chambre d'un invité, munie d'une note (rédigée sur un épais papier crème) qu'il me fourre entre les mâchoires. Le message, que j'ai le droit de lire avant qu'il le glisse dans une enveloppe, est le suivant :

Cher oncle Harry,

C'est aujourd'hui que tu souffles tes 55 bougies : joyeux anniversaire ! Garde Carrie auprès de toi aussi longtemps que tu le souhaites, et n'hésite pas, si besoin est, à te servir de la cravache.

Amitiés,

Jon

Avant que je rejoigne Harry, il demande à Mme Branden de lier autour de mon buste un large ruban de satin blanc, dans le nœud duquel elle dispose adroitement la cravache – dont la dragonne m'effleure le sein droit. Inutile de vous préciser que l'oncle Harry me fait amplement tâter de sa badine. Mais peu importe : j'ai retrouvé mon Jonathan, garçon poli et neveu attentionné.

Il lui arrive également de faire venir des filles. Je ne me soucie guère de retenir leurs prénoms : pour moi, elles s'appellent toutes Muffy. On croirait les filles des hôtesses en robe de cocktail qui nous invitent dans leurs manoirs à leurs spectacles de dressage. Peut-être joueront-elles plus tard, à leur tour, les maîtresses de cérémonie. Elles sont belles, elles sont minces, elles sont bronzées ; toutes portent des cheveux blonds à longueur d'épaule. Elles se montrent pour la plupart d'une cruauté qui ferait aisément passer l'oncle Harry pour un enfant de chœur.

Pour tout dire, je les comprends : elles ont passé une formidable soirée avec un garçon épatant, chez qui l'humour le dispute à l'intelligence et au sex-appeal, puis lorsque enfin il les invite chez lui, c'est pour leur demander de faire l'amour avec sa jeune esclave – tandis qu'il se contente d'observer la scène. Elles se sentent flouées, car je ne suis censée, au départ, être là que pour pimenter un peu leurs jeux érotiques. Elles en conçoivent d'abord une certaine fierté, assortie d'une pointe d'excitation. Mais, au bout d'un moment, sans renoncer à ses bonnes manières, Jonathan leur fait entendre clairement qu'il ne sera qu'un spectateur – et qu'elles ont intérêt à se montrer à la hauteur de ses attentes.

Bien sûr, il reparaît pour le final : il m'ordonne de décamper, comme si ma seule lubricité avait provoqué l'orgie à laquelle il vient d'assister en coulisse. Dès lors, il sert à ses invitées le numéro du mâle héroïque. Mais quelque chose sonne faux dans son discours, et personne n'est dupe. La soirée se conclut sur les châtiments que ces demoiselles ont décidé de m'imposer pour punir mes débordements. Elles se déchaînent – résolues à prouver par tous les moyens que c'est de moi qu'on vient de se servir, et nullement d'elles.

Il s'agit là des scènes les plus difficiles auxquelles il m'est donné de participer, non pas tant pour les coups que j'y reçois que pour leur aspect psychologique. Car force m'est d'admettre que Jonathan est un sadique. Conclusion grotesque, me direz-vous, au vu des circonstances ? Pourtant, non : ce qui se joue entre lui et moi ne relève pas du sadisme à mes yeux, puisque nous avons conclu un accord préalable. Toutes ces jeunes Muffy, en revanche, se voient imposer quelque chose dont elles n'avaient pas envie. Les pauvres. Même les invités entre les pattes desquels il me fourre de temps à autre se trouvent là en connaissance de cause et pour se faire plaisir. Les Muffy sont les dindons de la farce. J'aimerais autant qu'il ne m'oblige pas à participer à de telles mascarades, car il m'y montre un visage que j'aurais préféré ne jamais découvrir. C'est d'ailleurs ce que j'explique à Stuart un soir, après que Jonathan m'a parlé des ventes aux enchères. Comme moi, mon ami est fasciné par ces étranges transactions – ainsi que par l'importance des sommes échangées –, mais l'idée que mon maître ait l'intention de me vendre le met au désespoir.

— Dire que je pensais qu'il allait finir par comprendre qu'il n'aimait que toi, gémit-il.

C'est que Stuart apprécie beaucoup Jonathan, depuis qu'il est parvenu à l'entrapercevoir : nous nous trouvions au cinéma Le Castro, où l'on jouait *Les Enfants du paradis*. J'avais insisté pour que nous arrivions tôt, dans l'espoir d'être le mieux placés possible. Comme j'achetais un seau de pop-corn pendant que l'organiste bouclait son pot-pourri de chansons d'Édith Piaf, j'ai repéré Jonathan, assis quelques rangs derrière. J'ai proposé à Stuart d'aller y voir de plus près. Jonathan était seul, il lisait. Je ne pense pas qu'il ait remarqué ma présence.

— N'importe quoi, je rétorque. Tu t'imaginais aussi qu'il allait me demander ensuite en mariage, comme M. Rochester[1] ? Et que nous aurions pondu une ribambelle de petits pervers ? Je me demande parfois si tu n'es pas raide dingue de lui. En tout cas, tu es sans conteste son plus fervent admirateur. Tu mériterais de subir le même traitement que les Muffy.

— Tu éludes la question. Vas-tu vraiment tenter de me faire avaler que tu n'as entamé cette histoire que par goût de l'aventure et du risque ? Que tu n'as pas eu le béguin pour lui dès votre première rencontre ? Du moins... jusqu'à ce que tu fasses la connaissance de l'oncle Harry, qui m'a l'air d'avoir changé ta vie.

Je me rengorge en me lançant dans une énumération comique :

— Oncle Tom, oncle Dick, oncle Harry. Ainsi que la plupart des copains de fac de Jonathan. Et d'autres, dont j'ai l'impression qu'ils ne fréquentaient pourtant pas la même université. À quoi j'ajoute Muffy, Buffy et...

— Et le lapin à queue blanche.

---

1. L'homme qui engage Jane Eyre comme gouvernante, dans le roman éponyme de Charlotte Brontë, et à laquelle il demande de l'épouser.

— Et le lapin à queue blanche. C'est exact. Le fait est que ces expériences modifient mon point de vue. Je comprends mieux ce qui suscite mon désir sexuel. Je crois que ça tient surtout au ton de la voix. Une voix qui ordonne. Jonathan excelle à prendre ce ton de commandement. Mais les autres en sont capables aussi.

— Sauf les Muffy.

— Ça, c'est à cause de l'esprit tordu de Jonathan, qui les place dans une situation où elles n'ont plus la possibilité de réclamer ce qu'elles veulent. Mais ce que j'essaie de t'expliquer se situe ailleurs : la voix m'apparaît comme un élément « transpersonnel ». Je la perçois comme une voix composée de plusieurs voix. Cette dimension dépasse Jonathan lui-même.

Ravie de l'effet que je pense avoir produit sur mon auditeur, je savoure mon triomphe… jusqu'à ce que j'entende Stuart pouffer.

— Je ne te crois pas, Carrie. Je devine à quel point ça peut t'allumer, de faire ça devant lui avec tout ce monde-là. D'autant plus que quand il lui arrive de s'absenter, il te demande ensuite de lui raconter la scène, n'est-ce pas ?

— Quelquefois, oui, dis-je avec impatience. Où veux-tu en venir ?

— Eh bien, quelles que soient les circonstances, c'est toujours à lui qu'on revient. Qu'il s'agisse des Muffy, des oncles ou de je ne sais qui d'autre. C'est pourquoi je refuse de gober ton argument selon lequel… Quel est le mot pompeux que tu m'as

asséné, déjà ? Quelque chose comme « transgressif »,
il me semble…

— Va te faire voir ! je m'écrie, soudain au bord
des larmes. C'est de ma vie qu'on est en train de
parler, pas de la tienne. Et je n'ai pas l'intention de
faire tourner mon existence autour de quelqu'un qui,
d'une part, possède en lui des tendances certaines à la
cruauté et qui, de l'autre, se sent tellement à l'aise
qu'aucun doute ne l'assaille jamais. Rends-toi
compte : il a au moins quinze ans de plus que moi, il
réussit tout ce qu'il entreprend, il est riche et content
de lui. Je pense que m'attacher à un homme comme
lui serait beaucoup plus dangereux que tous les jeux
auxquels nous nous livrons actuellement. Alors va te
faire voir et… et… et…

Je me retiens d'asséner à Stuart qu'il n'a qu'à
songer à se bâtir une existence au lieu de pérorer sur
la mienne. Je me retiens. Par bonheur. Car je trouve
en lui tellement de soutien depuis un an que je ne me
pardonnerais jamais de lui jeter une pareille méchanceté à la figure.

— Très bien, souffle-t-il. Disons qu'il t'a mis le
pied à l'étrier, mais que c'est maintenant à toi de
poursuivre l'aventure. Et, au bout d'un moment, il
disparaîtra de ta vie. Parfait. Mais ne te sens-tu pas
un peu triste à l'idée qu'il s'éclipse de cette façon ?

— Nous avons toujours le projet d'aller à Paris,
dis-je en me ressaisissant. Je veux voir ce qui va se
passer ensuite. C'est ce que je souhaite le plus au
monde.

— Et lui ? Pourquoi désire-t-il te vendre ? Il s'est lassé de toi ?

— Peut-être. Mais je ne le crois pas. Je pencherais plutôt pour une espèce de syndrome de Pygmalion : il veut que je grimpe sur l'estrade le jour des enchères pour que les spectateurs découvrent le plus joli cul qu'il leur ait jamais été donné de contempler. Il me repère dans une soirée, il fait de moi une authentique esclave, puis il me présente en public… Tout cela tient pour lui de l'acte esthétique, selon moi. Une œuvre à laquelle il lui faut maintenant mettre le point final.

— Et tu n'as pas peur ?

— Stuart, lui dis-je doucement. J'ai peur tout le temps.

3

Du travail de pro

Au cours des deux ou trois semaines suivantes, Jonathan, comme je m'en doutais, ne fait plus la moindre allusion à la vente aux enchères. Nous coulons à nouveau des jours tranquilles au cœur de sa « pornotopie ». Mais un samedi, en fin d'après-midi, lorsque j'entre dans son bureau (escortée, bien sûr, par Mme Branden), il s'y trouve déjà : il bavarde et rit autour d'un verre de vin avec la plus belle femme du monde. Sans doute a-t-elle le même âge que lui, ou peu s'en faut. Pour le reste, elle est… parfaite. Cheveux cuivrés coupés en un impeccable carré à la Louise Brooks, dont les pointes effilées soulignent la mâchoire. Deux yeux immenses d'un vert très pâle, presque translucide. Tailleur de lin noir – veste ajustée portée à même la peau, longue jupe étroite enserrant des jambes interminables. Souliers rouges d'une élégance rare, dont je n'ose imaginer le prix. De courts ongles manucurés, vernis de rouge. Je suis prête à parier que la petite Mercedes garée devant la villa lui appartient. Il ne s'agit en aucun cas d'une Muffy. Je devine par ailleurs – car, après tout, je connais Jonathan sur bien des plans – qu'ils ont déjeuné dans un restaurant chic, puis qu'ils sont venus ici pour s'envoyer en l'air jusqu'à épuisement. Peu m'importe cette allure tellement irréprochable qu'on la croirait sortie tout habillée du ventre de sa mère une heure plus tôt. Je sais. Ils ont baisé jusqu'à plus soif. Elle a ensuite repris contenance en moins de temps qu'il n'en faut pour le dire. Une maîtresse femme.

Est-elle la raison pour laquelle Jonathan désire me vendre ? Ma belle assurance s'effrite. Je me sens à la fois jalouse et terrifiée. Je tâche de paraître impassible, docile, comme il est de mon devoir de l'être, mais je ne trompe probablement personne.

Jonathan s'empare de ma laisse, qu'il détache. Il libère aussi mes mains, que la gouvernante a liées dans mon dos. D'un geste presque imperceptible, il m'ordonne de m'agenouiller. Je m'exécute et baise le soulier de l'inconnue (puisque je sais à présent comment éviter d'enduire une chaussure de rouge à lèvres). Enfin, je redresse le buste, incapable pendant quelques secondes de détacher mon regard du visage de l'étrangère.

Jonathan se tourne vers elle.

— Alors, qu'en penses-tu ?

Elle lâche un bref éclat de rire, prend mon menton entre son index et son pouce pour me contraindre à le relever un peu – elle veut voir mes yeux.

— Attends un instant…

Une voix exquise, un peu rauque. Elle plonge durement son regard dans le mien.

— Bonté divine, Jon, déclare-t-elle. Cette petite garce m'a tout l'air de s'imaginer que c'est toi qui lui appartiens. Où est ta canne ?

Il la lui tend. Elle me frappe avec une violence qui m'arrache des gémissements. Elle me gifle.

— Arrête, lâche-t-elle d'un ton bref.

À ma grande surprise, je cesse instantanément de pleurer.

— Écoute-moi bien, Carrie. Ce que tu crois deviner de ce qui se trame ici ne m'intéresse nullement, aussi je te saurai gré de te contrôler mieux que ça. Ne nous livre pas tes états d'âme. Tout ce qui nous importe, c'est ton souhait de nous obéir.

Sur quoi, elle presse ma chatte du bout de son soulier rouge en éclatant d'un rire démoniaque.

— Tu as au moins raison sur ce point, me lance-t-elle : ces chaussures coûtent beaucoup trop cher. Même pour moi. À présent, va me chercher ce tabouret.

D'un geste, elle me désigne un petit escabeau en bois d'une trentaine de centimètres de haut, placé dans un coin.

— Pose-le là, poursuit-elle en me montrant cette fois le centre de la pièce. Et grimpe dessus. Debout.

— Oui, madame.

— Madame Clarke, rectifie-t-elle – elle m'administre au passage un léger coup de canne sur les fesses.

— Oui, madame Clarke.

Oh Stuart. Oublie tout ce que je t'ai raconté sur la voix. Cette voix-là produit sur moi un effet bien différent de celle de Jonathan. Je me juche en hâte sur le siège. Mme Clarke se lève puis vient tourner lentement autour de moi ; elle m'examine avec sévérité, non sans tâter mon corps ici ou là du bout de la canne. Je m'efforce d'interpréter ces menus coups de boutoir comme autant de signaux – comment me tenir mieux, comment m'exhiber avec davantage de grâce. Je m'avise pour la première fois qu'elle n'est pas bien grande, mais elle possède une telle présence qu'on la croirait volontiers d'une taille supérieure à la moyenne. Elle me fait si peur que j'éprouve toutes les peines du monde à demeurer immobile. Je ne veux pas lui donner l'impression que Jonathan a échoué dans son dressage. Cela me semble primordial.

Elle repose la badine, me pétrit les seins, passe une main dans les poils de mon pubis. Elle introduit ensuite deux doigts dans ma bouche pour entrouvrir mes lèvres ; de l'autre main, elle fait de même avec ma chatte. J'ai terriblement chaud. Je me sens faible. Je brûle de jouir, mais il en va de mon honneur. Je me concentre donc sur ma respiration, en tâchant de ne pas trembler trop fort.

Elle recommence à tourner autour de moi.

— Bien, décrète-t-elle enfin. Disons qu'elle n'est pas vilaine. Mais ce n'est pas une beauté non plus, or tu sais pertinemment qu'au bout du compte c'est pour la beauté qu'ils ouvrent leur portefeuille. Elle se tient plutôt bien, même si on devine au premier coup d'œil qu'elle est novice. Tu aurais pu la former au dressage, mais ça n'est pas ta tasse de thé. Quel dommage. Si elle était à moi, je m'empresserais de l'équiper d'un mors et d'une bride. Elle souffre de nombreuses lacunes, ça se voit immédiatement. Même chose pour la personnalité. Son intelligence te séduit, au point que tu lui manifestes une indulgence excessive – tu te comportes avec elle comme avec une enfant précoce. À l'âge auquel tu arrives, mon chéri, aurais-tu des envies de paternité ? Car nous savons l'un et l'autre qu'une myriade de jolies filles se pressent à ta porte, prêtes à supporter de ta part un soupçon… d'étrangeté, si tu acceptes en échange de les épouser, de les mettre enceintes, puis d'inscrire leur enfant dans une école Montessori. Mais je t'en conjure, ne va pas traiter Carrie de cette façon, car elle a quelques prédispositions pour une sexualité de qualité.

« Je t'accorde en effet qu'elle possède une espèce d'innocence blessée qui pourrait plaire à certains, ainsi qu'une adorable croupe en forme de poire dont la peau marque remarquablement – ce qui constitue un atout face à d'éventuels acheteurs.

Jonathan pousse un soupir excédé. Je le devine, du coin de l'œil, tout ensemble contrarié, amusé et, presque malgré lui, très excité par cette histoire.

— Quelle leçon, Kate, lâche-t-il avec sécheresse. Mais où veux-tu en venir au juste ? C'est oui ou c'est non ?

— Bon sang, Jonathan, rétorque-t-elle, à son tour agacée autant que séduite. Je ne suis pas en train de t'offrir un cours particulier : je t'offre mon avis de spécialiste. Si tu n'étais pas mon plus vieil ami et amant, il t'en coûterait 1 000 dollars. Alors, je t'en prie, laisse-moi continuer. Et tant pis pour toi si je te donne l'impression de pontifier. Oui, sans doute quelqu'un se montrera-t-il prêt à payer un bon prix pour une gamine très mal dressée mais pétrie de talent et joliment roulée. Certes pas une fortune, mais elle couinera lors des épreuves et il s'en trouvera bien un pour avoir envie de faire une bonne affaire. Pourvu qu'il s'agisse d'un garçon intraitable, d'un véritable professionnel, car elle en a le plus grand besoin. Cependant, je n'aime pas voir les tractations s'opérer de cette manière. Pourquoi cette précipitation, Jon ? Pourquoi ne pas d'abord la dresser correctement ? Confie-la-moi si tu as la flemme de mener sa formation à son terme. Tu lui rendras service en la laissant sortir un peu de ces *Hauts de Hurlevent* dans lesquels tu l'étouffes ici. Elle n'y verra aucun inconvénient. N'est-ce pas, Carrie ?

— En effet, madame Clarke.

Elle rit de nouveau.

— Pour tout dire, reprend-elle, je suis prête à parier que Carrie adorerait se voir offrir un petit séjour chez moi. Certes, son avis ne m'importe pas le moins du monde, mais j'ai l'impression qu'elle est en train de s'amouracher de moi.

— Garce, commente Jonathan d'un ton égal. Je vais y réfléchir.

— Non. Tu ne me l'enverras jamais, alors ne fais pas mine de l'envisager. Tu vas poursuivre son apprentissage à ta façon, à la fois brouillonne et dégoulinante de romantisme. Du travail d'amateur. Promets-moi au moins de l'inscrire à des cours de yoga ou de danse classique. Elle me paraît plutôt sportive, mais il serait dommage de ne pas tirer un meilleur parti de sa puissance et de sa souplesse.

Sur ce, elle ramasse son sac à main avant d'examiner son reflet sans défaut dans la glace. Puis, étreignant Jonathan, elle lui donne un baiser. Un long et langoureux baiser, dont il me semble rater toute la portée symbolique.

— Écoute-moi bien, mon ange, susurre-t-elle. Je suis navrée de t'avoir taquiné ainsi, mais tu m'as rendu la tâche trop facile. Tu me manques. J'aimerais que nous nous voyions plus souvent. Même si tu ne me m'amènes pas Carrie, tu pourrais venir à Napa plus de deux fois par an. Ce n'est pas si loin.

Ses mains aux ongles soigneusement manucurés courent partout sur les fesses de Jonathan. Il soupire.

Ils s'embrassent à nouveau. Enfin, ils quittent le bureau bras dessus bras dessous.

Debout sur le tabouret, je sens rouler quelques larmes sur mes joues et au plus profond de mon être déferlent des vagues de honte, d'effroi et de trouble mêlés. Pourquoi est-ce que je pleure ? Quelqu'un a trahi quelqu'un d'autre, me dis-je, sans savoir au juste ce que cela signifie, ni qui a trahi qui. J'entends au-dehors la Mercedes s'éloigner. Cinq minutes plus tard, Mme Branden pénètre dans la pièce pour me transmettre les instructions de Jonathan : il me prie de rentrer chez moi.

Lorsque je me présente la fois suivante, le rituel a changé : la gouvernante m'indique de garder mes vêtements (un T-shirt à la gloire de Primus, groupe de rock local) pour me rendre dans le bureau. Jonathan s'y trouve déjà, assis à une grande table en noyer près de l'une des fenêtres à vitraux. Il est en train de classer des papiers, dont il fait des piles. Une cafetière trône sur un coin du bureau.

— Te voilà. Tout cela se révèle extrêmement fastidieux, mais nous devons nous y coller ensemble. Il s'agit des titres de propriété, des formulaires d'inscription aux enchères, ainsi que des photocopies des articles de loi que nos juristes contournent avec élégance afin que nous puissions continuer, même à l'époque actuelle, de procéder à ce type de transaction. Lis l'intégralité du dossier, après quoi tu me poseras autant de questions que tu le souhaiteras.

Ensuite, nous remplirons ces papiers. Sers-toi une tasse de café. Je te dispense d'obéir aux règles aujourd'hui. J'ai commandé une pizza et des Coca.

Je vais chercher à la cuisine les lunettes que j'ai l'habitude d'utiliser pour lire – c'est la première fois que je les chausse dans cette maison. Puis, pelotonnée dans le fauteuil de Jonathan, j'entreprends d'examiner les feuillets. Peu à peu, un schéma global m'apparaît.

— C'est un autre genre de réalité virtuelle ? je demande en me servant une part de pizza – on vient de nous livrer.

— En effet. Il n'existe pas de propriété au sens juridique du terme. Ce serait impossible. Il ne s'agit que d'énumérer dans leurs moindres détails plusieurs degrés d'acceptation, et de développer une certaine notion du don, dans les limites fixées par le droit international. Cela dit, les avocats qui ont rédigé ces documents étaient eux-mêmes de talentueux pornographes, en sorte qu'ils sont parvenus à donner au concept d'acceptation un petit parfum d'Ancien Régime, où prévalait le « droit du seigneur ».

— Tout cela est donc parfaitement légal ? Mais comment font-ils pour garder aussi bien le secret ?

— Je suppose qu'un tribunal pourrait contester quelques points, mais les tribunaux ne fourrent pas leur nez dans ce genre d'affaire. Au même titre que les journalistes. Pourquoi ? Parce que celles et ceux qui s'adonnent à ces activités sont riches. Certains le sont immensément. À mon avis, les jeux d'influence et les pots-de-vin sont légion.

— Génial, j'observe en grimaçant. Tout ce que je déteste.

— Je le sais. Je n'apprécie pas non plus cet aspect des choses. C'est en partie pour cela que Kate me traite d'amateur romantique.

— Qui est-elle ? je lui demande en m'essuyant les lèvres.

Je ne m'attends pas à ce qu'il me fournisse d'amples explications, mais je profite de ces petits moments de liberté pour voir jusqu'où je suis capable d'aller. Et puis je brûle d'en apprendre davantage sur Mme Clarke. À ma grande surprise, Jonathan, visiblement en mal de confidences, prend une profonde inspiration avant de se lancer.

— Qui donc ? Kate ? Eh bien… Comme elle l'a dit elle-même, elle est à la fois ma plus vieille amie et ma plus ancienne maîtresse. Nous avons grandi ensemble, nos parents se fréquentaient. Enfants, nous faisions du sport tous les deux, et nous jouions au docteur. J'ai un an de plus qu'elle, mais pour ce qui est de la force de caractère, elle me devance d'une bonne dizaine d'années. La dimension sexuelle a toujours joué un rôle entre nous. Quand nous étions tout petits, nous nous contentions bien sûr de quelques attouchements, de coups d'œil à la dérobée. Puis sont venues nos premières expériences d'adolescents. Nous avons commencé par faire l'amour pendant des heures, après quoi nous avons découvert la souffrance et les rapports de domination. Nous avons effectué main dans la main nos premières incursions dans ce domaine. L'union fait la force : ensemble, nous gagnions en témérité. Ou peut-être, tout simplement, Kate possédait-elle assez de cran pour réclamer ce dont elle avait envie, sur un ton de commandement qui nous impressionnait autant l'un que l'autre. C'est ainsi que nous avons peu à peu glissé vers d'autres formes de désir. On aurait cru deux jeunes génies qui, ayant installé un labo clandestin dans la cave de leurs parents, manquent de faire exploser la maison tout entière. Nous avons pris des risques inconsidérés à l'époque, dont je conserve d'ailleurs quelques cicatrices. Tu as dû les remarquer…

— Oui, dis-je avec nostalgie (je meurs d'envie de les revoir). Qui… Qui…

Les mots me restent en travers de la gorge.

— Qui domine l'autre ? termine Jonathan, étonnamment bavard. Au départ, c'était moi. Nous avions lu *Histoire d'O*, nous aussi. Nous avons dévoré ensuite d'autres ouvrages, nous avons mis en pratique ce que nous y découvrions. Je pense évidemment à *La Vénus à la fourrure*. Nous avons même lu Georges Bataille. Nous avons endossé mille et un rôles, abordé mille et une facettes de la sexualité. Des pervers polymorphes, voilà ce que nous étions. Et ce que nous sommes restés. En revanche, nous n'utilisons plus la moindre quincaillerie – car je suppose que c'est ce que tu souhaites savoir. Nous n'en avons plus besoin. Nous nous connaissons si bien et nous avons interprété tant de fois nos scénarios qu'un simple coup d'œil au moment propice nous suffit.

Elle a fini par le quitter, enchaîne-t-il, juste avant qu'il entame sa dernière année de lycée. Lui qui avait cru qu'ils passeraient leur vie ensemble, il était éberlué. « Ensemble ? lui a-t-elle jeté à la figure. Comment ça, "ensemble" ? Tu t'imaginais que nos parents nous offriraient une immense villa ? Puis que nous ferions caisse commune ?… Voyons, chéri… » Il a mis du temps à s'en remettre, mais la blessure a fini par cicatriser – surtout lorsqu'ils ont recommencé à s'envoyer en l'air de loin en loin.

— Un jour, poursuit-il, quand j'étais à la fac, j'ai assisté pour la première fois à une vente aux enchères d'esclaves. C'est l'oncle Harry qui m'y avait emmené. Et là, sur l'un des petits piédestaux, se tenait Kate. Elle était censée se trouver alors au Sarah Lawrence College, mais elle avait blousé tout le monde. Ses parents ont fini par découvrir le pot aux roses, mais il était déjà trop tard. Elle a fait sensation lors des enchères, jamais encore on n'avait déboursé de pareilles sommes pour acheter une soumise. Elle est devenue célèbre dans le milieu. Quelque temps plus tard, elle a ouvert un établissement à Napa ; la beauté de ses esclaves n'a pas d'équivalent dans le monde, je crois.

— C'est donc elle, la joueuse de poker ? Je serais curieuse d'assister un jour à l'une de ses parties.

— N'y pense même pas, réplique Jonathan avec humeur. J'ai changé d'avis sur ce point.

Sa froideur me saisit. Sans doute ai-je, sans m'en apercevoir, franchi l'une des mystérieuses frontières qu'il a peu à peu établies entre nous. Je lui trouve la mine sombre, presque menaçante. Il allume une cigarette, tandis que, toujours blottie au fond du fauteuil, je ramène mes genoux contre ma poitrine et les enserre de mes bras. Le silence s'installe un moment entre nous.

— Est-ce vrai, je murmure enfin, que tu m'as mal dressée ?

— Selon les critères établis par Kate, sans doute, oui. Mais ses exigences se révèlent presque impossibles à satisfaire. Tout est affaire de sensibilité, en fin de compte. Les standards varient d'un individu à l'autre, les jeux ne sont pas les mêmes ; chacun met sur pied sa réalité comme bon lui semble. Et... Oh, et puis tu sais très bien de quoi je parle, Carrie. Arrête de jouer les idiotes.

« Le jeu auquel nous jouons porte un nom : chosification. Tu deviens ce que je veux que tu sois, sinon je te punis. Nous n'ignorons ni l'un ni l'autre que, pour obtenir une créature selon mes désirs, il faut que cette créature-là possède une personnalité. Il faut qu'il lui reste, en dépit des humiliations, un soupçon d'intelligence critique : de quoi lui permettre, une fois rentrée chez elle, de transformer nos scénarios en récit. De coucher nos aventures sur le papier. Sur mon ordre, cette intelligence disparaît entre les quatre murs de ce bureau et, dès lors, il me semble être investi d'une mission : retrouver la trace de cette conscience critique. Peut-être, me dis-je, l'histoire s'écrit-elle sous cette intelligence qui vient de s'effacer à mon commandement. Ce que nous expérimentons tous les deux nous en apprend davantage sur nos modes de perception et de communication. Ainsi, je t'oblige à te taire la plupart du temps, mais je n'en demeure pas moins à l'écoute de cette toute petite voix, de cette narratrice tour à tour drôle, pince-sans-rire, bougonne, impassible ou calculatrice, qui prend en charge « notre » récit. Cette narratrice qui me renvoie mon image : celle d'un homme sexuellement attirant, certes, mais aussi un peu grotesque, et extrêmement prétentieux. Voilà ce qui me passionne dans notre relation. Cette petite voix presque insaisissable.

— Eh bien…

Pendant quelques instants, les mots me manquent.

— J'ignorais que tu voyais les choses ainsi, dis-je enfin.

Je suis estomaquée. Contrairement à ce que Jonathan s'imagine, je ne joue pas les idiotes : je *suis* idiote ! J'ai l'impression d'être passée à côté de pans entiers de notre « jeu ».

— Je sais, observe-t-il. Tu n'as pas l'esprit assez ouvert pour admettre qu'un type aussi conventionnel et terne que moi puisse tenir de tels raisonnements. Pourtant, je fais des efforts. Je lis beaucoup. Je lis ce dont j'estime avoir besoin pour comprendre ce que je souhaite comprendre. Je sais que tout cela ne cadre pas avec l'image que tu t'es forgée de moi, mais c'est ainsi.

— Il me faut un petit temps de réflexion, dis-je lentement.

— Tu as parfaitement raison. Après tout, tu n'es qu'une enfant, j'ai parfois tendance à l'oublier. Pardon. Tu en sais bien plus que tu ne crois, mais même si tu gamberges beaucoup, tu ne maîtrises pas encore tous les tenants et les aboutissants. Rien que de très normal : l'ego en prend un fameux coup, lorsqu'on s'aperçoit que le sexe peut devenir aussi complexe, aussi difficile à saisir que la littérature.

Au fil de notre échange, je m'interroge : et si, dans le fond, ces conversations, plus encore que nos séances ritualisées, assuraient son ascendant sur moi ? Et si, dans le fond, le bon fonctionnement de notre relation dépendait tout entier de ces discussions à bâtons rompus ?

— Il se fait tard, intervient-il soudain. Nous devrions nous remettre au travail.

— Non. Parce que tu n'as pas vraiment répondu à ma question. M'as-tu si mal dressée que je risque de rencontrer de gros problèmes là-bas… là où tu choisiras de m'envoyer ?

— Ta question est déloyale. Car tu sais aussi bien que moi qu'il n'existe aucune réponse. Je ne te forme pas afin de t'expédier « là-bas ». Jusqu'au dernier jour, c'est pour moi que je te dresserai. Ne l'oublie pas. Tu t'interroges sur ce « là-bas », et c'est compréhensible. Mais tu en apprendras davantage le moment venu. Je ne dis pas qu'il ne nous faut pas prendre en compte certains aspects techniques de ta formation. Kate a raison de te suggérer des cours de danse classique et de yoga. Tu pourrais d'ailleurs t'y mettre dès la semaine prochaine.

Il me tend une carte de visite.

— Je pense aussi que tu devrais laisser tomber ton travail et t'installer ici. La vente aux enchères aura lieu dans six semaines. Sur ce, revenons à la paperasse. Mais d'abord, j'ai une question à te poser : c'est quoi, Primus ?

Les semaines suivantes se révèlent âpres, terrifiantes sous bien des aspects – vous vous en doutiez déjà. Fini de bavarder autour d'une pizza. Mon déménagement me fend le cœur, et je réserve à Stuart des adieux déchirants. Néanmoins, puisque j'ai l'intention de mener cette aventure à son terme, il n'est plus question pour moi de jouer les employées à temps partiel.

Stuart me facilite involontairement la tâche en désertant soudain l'appartement. Car Stuart est amoureux. Il passe le plus clair de son temps chez Greg. Ou à la bibliothèque. Avec Greg. Je me réjouis pour lui, et c'est avec une pointe de nostalgie que je sonne un jour chez Jonathan, à la porte de la cuisine, munie seulement d'une petite valise et d'un sac à dos contenant quelques livres ; ce que j'apporte avec moi, c'est surtout une immense curiosité pour les événements que je m'apprête à vivre.

La donne a changé, mes rapports avec Jonathan font peau neuve. J'y décèle une autre intensité, un caractère inexorable qu'ils ne possédaient pas jusqu'ici. La lassitude qui naît parfois de la répétition des rituels s'accroît en proportion, puisque je me tiens désormais à la disposition de mon maître vingt-quatre heures sur vingt-quatre – sauf durant les cours de danse et de yoga, où j'en vois également de toutes les couleurs, mais Kate avait raison : ils me seront très utiles. Je dors sur un petit grabat, dans la chambre de Jonathan, près de son lit, à la tête duquel je suis enchaînée. Je lui sers ses repas à genoux – je finis par avoir la sensation de passer des journées entières dans cette position. Je fais office de repose-pieds, de table d'appoint, de cendrier. Jonathan reste moins longtemps que d'habitude au bureau, préférant rapporter de quoi travailler à la villa, ce qui me vaut de longues heures éprouvantes à attendre, dans une immobilité et un silence absolus, qu'il détourne les yeux de ses dossiers, de ses dessins, de son écran d'ordinateur, pour m'ordonner de le lécher, de le sucer, d'écarter les jambes ou d'épanouir mon anus pour l'accueillir. Certains jours, il m'interdit de parler ; d'autres jours, je n'ai pas l'autorisation d'utiliser mes mains – je fais tout avec la bouche. Les règles de base, je les connais depuis longtemps, mais de nouvelles règles ne cessent de surgir, et avec elles de nouvelles raisons de me punir.

Je ne tarde pas à m'apercevoir que l'un des changements majeurs survenus dans mon existence tient à l'absence d'argent. Car si je possède un compte en banque sur lequel j'ai placé quelques économies, Jonathan m'a fait signer un formulaire m'en interdisant l'accès, soit jusqu'au terme des enchères si personne ne m'achète, soit lorsque celui qui sera devenu mon propriétaire me libérera. Vu les trois sous dont je dispose, ce contrat ne vaut sans doute pas la somme que Jonathan a déboursée pour qu'un des juristes pornographes dont il m'a parlé le rédige à prix d'or. Mais il fait désormais partie de cet arsenal d'objets qui façonnent sa réalité virtuelle. Sa « pornotopie ». Moi qui me sentais si libre sur ma bicyclette, j'ai maintenant l'impression que tout m'entrave.

Jonathan ou Mme Branden me remet de quoi prendre le bus lorsque je dois me rendre à mes cours de danse ou de yoga – dont j'ai ordre de revenir ensuite sans m'attarder ; je ne désobéis jamais. Il y a pourtant un chouette café juste en dessous du studio de danse, où je m'installerais volontiers pour lire un peu en sirotant un *latte*. Si j'avais de quoi me payer un *latte*. On croirait la petite marchande d'allumettes, collant le nez à la vitrine pour observer de tous ses yeux les gens « normaux » attablés dans le troquet. Puis je saute dans l'autobus, où je recompte soigneusement ma monnaie pour qu'à mon retour il ne manque pas un cent. Kevin avait raison, me dis-je : Carrie, tu es complètement barrée.

Comme le bus gravit la route menant au quartier de Jonathan, je me sens tout à la fois épuisée, mélancolique et désorientée ; j'ai un peu peur, aussi. Puis, à mesure que les minutes s'écoulent, ce trouble cède le pas à une furieuse excitation sexuelle. De cahot en cahot, je dresse l'inventaire des diverses parties de mon corps. J'éprouve les muscles que l'exercice a étirés, j'éprouve les meurtrissures des coups, les ecchymoses. J'éprouve mon vagin brûlant et trempé. Mon jean ainsi que le justaucorps humecté de sueur me dégoûtent. J'ai hâte de m'en débarrasser, de me sécher, de me parer puis de me présenter à la gouvernante afin qu'elle me passe mes poignets de cuir et mon collier ; peut-être même me chaussera-t-elle d'extravagants souliers avant de serrer dans mon dos les lacets d'un corset. Je frissonne toujours lorsqu'elle referme le collier sur mon cou, et je crois qu'il en ira toujours ainsi. Car ma posture a beau s'améliorer de semaine en semaine, j'ai beau me tenir le dos plus droit, mes abdominaux ont beau se raffermir, ce collier me métamorphose : je redresse la tête, mes seins se portent vers l'avant – leur tendreté ne m'en paraît que plus flagrante, et plus flagrante aussi l'aisance avec laquelle on peut les blesser. Je deviens un objet, *son* objet, mais un objet supérieur aux autres puisque je possède une conscience, une volonté, une intelligence que je dépose de mon plein gré aux pieds de Jonathan. Bientôt, après lui avoir abandonné le noyau même de mon être, je tomberai en chute libre. Je me prépare à ce moment, ce moment durant lequel il se contente (le temps qui passe alors me fait l'effet d'une éternité entière) de me contempler jusqu'à ce qu'il perçoive que mon corps le réclame, qu'il réclame d'être touché par lui, d'être touché par n'importe quel moyen.

Comment les autres passagers de l'autobus n'ont-ils pas déjà deviné ce qui bouillonne en moi ? L'odeur même m'en semble perceptible. Peut-être, sans rien montrer, l'ont-ils d'ailleurs humée ; ce soir, peut-être, pour la première fois depuis longtemps, surprendront-ils leurs épouses lasses.

Pour tout dire, le petit cours de Jonathan sur mon intelligence critique est demeuré sans la moindre conséquence sur nos pratiques. J'aime l'idée de lui avoir offert mon esprit – de l'avoir modelé en forme de balle, que je lui lance pour qu'il s'en amuse ou la rejette au loin selon son humeur. Mais si j'excepte les trajets en bus, qui me laissent le loisir de penser, soyons honnête : je réfléchis peu à ces sujets. Le temps galope. Jonathan me paraît résolu à sonder les plus vastes profondeurs de son inventivité. Face aux lois inédites qu'il décrète chaque jour, face aux conflits qu'il se plaît à faire naître, je déploie mille efforts pour apprendre et me soumettre.

Un jour, il me présente une robe qu'il a fait confectionner exprès pour moi. Une robe superbe, noire, très courte, un dos nu dont le col, par contraste, se couvre de lourds joyaux qui évoquent un collier de dressage.

— Oh, monsieur Rochester !…

La brève référence littéraire a jailli d'entre mes lèvres, je n'ai pas pu la retenir. Dans le fond, je suis persuadée que ma réplique va l'amuser. Elle l'amuse en effet… avant qu'une vive contrariété se peigne sur ses traits : il aura du mal à me faire payer une telle insolence sans que les traces de coups se repèrent sur les larges portions de peau que ma tenue minuscule va découvrir, et il vient de s'en rendre compte. Il y réussit néanmoins, au point que je songe à renoncer définitivement au moindre trait d'esprit.

Après quoi j'enfile ma robe. Dessous, je porte un corset et des bas noirs, assortis d'un godemiché flambant neuf, un engin digne de Conan le Barbare, résolument planté dans mon cul.

— Je t'emmène à l'opéra, m'annonce Jonathan.

Devant la villa se range une énorme limousine, à bord de laquelle nous grimpons. Jonathan s'installe sur la banquette, tandis que je m'agenouille sur le plancher pour le sucer jusqu'au terme du trajet. Il sirote du champagne. Au théâtre, j'assiste à l'intégralité de la première partie de *L'Enlèvement au sérail* sans avoir été autorisée à me débarrasser des traces de rouge à lèvres qui me barbouillent les joues ni à me rincer la bouche, que son sperme a inondée dans la voiture. Le godemiché me déchire les entrailles. J'ai l'impression que toute la salle m'observe (à l'opéra se pressent des hordes de Muffy) – Jonathan, lui, m'examine d'un œil suffisant.

Dès le début de l'entracte, il m'ordonne de me lever. L'auditoire continue d'applaudir les artistes. J'espère un instant que nous allons filer pour regagner la limousine, où il exigera de moi d'autres performances, au lieu de quoi il me mène dans le foyer. Des spectateurs s'y massent déjà, prêts à s'attabler autour d'un verre. Les tenues et les sujets de conversation sont variés, mais, en dépit de la foule, Jonathan réussit à dénicher une table libre.

— Je me réjouis que tu m'aies donné tout à l'heure l'occasion de te corriger, me souffle-t-il en se penchant vers moi. J'adore imaginer les contusions sous ta jolie robe. Tu ne m'en sembles que plus nue encore. Ce n'est pas évident, n'est-ce pas, de se présenter à moitié déshabillée au milieu de cette assemblée ?

— Non, Jonathan, ce n'est pas évident.

Sale bâtard.

— Fort bien, jubile-t-il, sans renoncer cependant à son ton de maître d'école. Maintenant, je veux te voir à quatre pattes dans cette pièce. Fais de ton mieux. Je me tiendrai là-bas, près du mur.

— D'accord, Jonathan.

Super…

Une idée me vient : je vais laisser tomber une boucle d'oreille, puis plonger sous la table pour la ramasser. Fastoche. Non. Pas fastoche du tout si je songe aux quelques centimètres carrés de tissu à quoi ma robe se résume. Je ne regarde plus rien ni personne, j'affecte un calme olympien en tripotant le bijou qui orne mon oreille gauche. Je fais glisser lentement le long de la tige le fermoir poussette, que je prends soin de dissimuler ensuite au creux de ma paume. Je garde la tête droite : le joyau ne bouge pas. Puis je me tourne lentement vers Jonathan, que je découvre adossé au mur, les bras croisés sur la poitrine. Il me regarde intensément. Certes, me dis-je, il sait tout de mes meurtrissures, mais en échange je connais par cœur la fièvre qui s'empare de lui en cet instant précis – un pli suspect marque d'ailleurs l'entrejambe de son pantalon de costume italien. Je lève les yeux vers les siens pour y déceler cette pointe d'ironie caractéristique qui confirme mes soupçons. Touché. Sur ce, ma boucle d'oreille tombe à mes pieds.

Comment m'en sortirais-je si elle s'en était allée rouler à plusieurs mètres de moi ? Ouf. Je me baisse doucement, sans lâcher Jonathan du regard. Je suis en train de ramasser une boucle d'oreille, me dis-je, rien de plus – je souhaite à tout prix éviter de me faire remarquer, éviter d'exhiber mon humiliation au beau milieu de ce temple dédié aux mille excès de l'expression culturelle. Dans le même temps, j'entends au creux de mon oreille le ton autoritaire de Jonathan dialoguant avec ma voix soumise, à son impérieux « Je veux » répondant mon « Oui, Jonathan » – où que nous nous trouvions, nos dialogues se diffusent en continu dans ma tête.

Une fois sur le sol, je m'immobilise un instant, l'œil toujours rivé au sien, les lèvres légèrement entrouvertes. Je ne suis plus qu'acquiescement et docilité. Puis voilà que tout à coup je me prends à le dévisager, ébranlée par je ne sais quel choc, comme si je le voyais pour la première fois. Rien ne vaut cet exhibitionnisme auquel il est en train de me contraindre pour pimenter notre quotidien. Pendant quelques secondes, la tête me tourne, après quoi mes idées redeviennent d'une impitoyable clarté. Je suis à quatre pattes depuis assez longtemps, me dis-je. Je récupère la boucle d'oreille.

Je me remets debout en veillant à ce que ma robe ne remonte pas trop haut sur mes cuisses. J'émerge, pareille à un plongeur regagnant la surface, consciente à nouveau de l'incessant bavardage autour de moi, consciente (et de cette conscience naissent le malaise et la perception sans fard de mon avilissement) de tous ces regards braqués sur moi. Combien de spectateurs au juste ont-ils repéré mon manège ? Je n'en ai pas la moindre idée. J'essaie de chasser de mon esprit ces mines scrutatrices, d'en dissoudre par la pensée les lignes de force, qui convergent vers moi. Si je choisis d'affronter ces regards, je sais que j'y lirai les questions que j'ai déjà lues dans d'autres yeux, chaque fois (cela se produit certes rarement) que Jonathan et moi nous aventurons dans la « vraie vie », hors de sa chère « pornotopie ». Car nous avons beau feindre la normalité, nous attirons immanquablement l'attention de quelques-uns. J'ai d'abord cru, dans ma grande naïveté, que cela tenait aux vêtements de prix que Jonathan insistait pour que nous portions l'un et l'autre. Je me trompais. Celui ou celle qui sait voir devine l'« extraordinaire » entre nous, ne serait-ce qu'à la manière dont mon maître me serre le bras un peu plus fort que de raison. Ici ou là, on s'étonne, ici ou là on hausse le sourcil. Les collisions qui se produisent de loin en loin entre notre univers intime et le monde réel me plongent dans la confusion. Or, Jonathan est passé maître dans l'art d'exploiter mon malaise.

Comme je m'assieds sur ma chaise, je ne suis donc pas surprise de voir un homme à l'allure pour le moins étrange, tout de noir vêtu et le nez chaussé de lunettes à monture d'acier, lever sa flûte de champagne dans ma direction. Il n'empêche : je pique un fard et détourne les yeux… pour croiser le regard insistant d'une fillette. Elle peut avoir onze ans, et d'indomptables cheveux bouclés encadrent son visage au teint pâle. Elle arbore une affreuse tenue en velours vert foncé rehaussée d'un col de dentelle blanche. Son œil impassible fixe le mien. À son âge, elle n'est pas en mesure de comprendre ce qui se trame, mais elle sait, me dis-je, qu'il se passe quelque chose d'insolite. Je lui retourne son regard. N'aie pas peur, les choses sont ainsi, c'est tout – je m'efforce de communiquer en silence avec elle. Tu verras, la vie nous surprend sans cesse. Elle ne comprend toujours pas, mais elle assimile l'incongruité de la situation. À la manière de tous les enfants sages, elle engrange l'épisode pour plus tard – elle en fera l'analyse dans quelques années. Elle est intelligente, plus intelligente que moi. Sur ce, je remets ma boucle d'oreille.

Jonathan se décide enfin à me rejoindre d'un pas nonchalant. Il embrasse gaiement le sommet de mon crâne.

— Pas mal, me félicite-t-il. Tu as manqué d'élégance à un moment, mais ça, tu n'as pas besoin de moi pour t'en rendre compte. Nous y remédierons plus tard. En attendant, ce n'est pas mal. Pas mal du tout.

Il me saisit par le coude pour me ramener à nos fauteuils d'orchestre. J'ai filé l'un de mes bas. Il aimera ça, me dis-je. La seconde partie de l'opéra commence. J'écoute à peine – la musique entre par une oreille pour ressortir par l'autre.

Après le spectacle, Jonathan me punit puis me baise à l'intérieur de la limousine garée au sommet de Twin Peaks ; le chauffeur nous observe sans un mot dans le rétroviseur. Lorsque nous regagnons la villa, Jonathan lui propose, en guise de pourboire, que je lui fasse une fellation. Les deux hommes échangent leurs places – dans l'esprit de Jonathan, il n'est nullement question de pourboire : il ne songe qu'à me contempler à son tour dans le rétroviseur. Mais le chauffeur se soucie peu de ce genre de nuance. À la fin de la soirée, ce dernier se voit offrir un peu d'argent, ainsi que le champagne que nous n'avons pas bu. Puis Jonathan et moi regagnons la villa.

4

De la bouillie pour chats

Quelques jours après notre soirée à l'opéra, le téléphone sonne dans le bureau de Jonathan. Il décroche, écoute son correspondant pendant une minute, puis prend la parole à son tour.

— C'est ridicule, Doug, s'emporte-t-il. Le système de ventilation fonctionne à la perfection. Il s'agit d'un petit réglage. Non, ils n'ont pas besoin de moi. Je peux les guider par téléphone sans le moindre problème. Je ne vais pas passer la semaine là-bas pendant qu'ils procèdent à l'installation. Parce que je suis débordé. Non. Non, des affaires d'ordre privé. Non, je ne peux pas t'en parler.

Tandis qu'il écoute à nouveau, il me repousse pour m'obliger à descendre de ses cuisses. D'un geste, il m'ordonne de m'agenouiller avant de me caresser distraitement les cheveux. De toute évidence, il se prépare à une conférence téléphonique.

Son existence se compliquera drôlement, me dis-je, lorsque tous ces appareils seront équipés d'un écran.

Il reprend sa conversation houleuse avec Doug, après quoi Stan et Carol entrent dans la danse. Durant une quinzaine de minutes, il adopte cette voix de jeune cadre dynamique que j'ai en horreur, à la fois chantante et haut perchée. « Mais nous avons déjà lar-ge-ment atteint nos objectifs, Stan. » « Oui, oui et encore oui, Carol, je veux bien croire que tu ne te sentes pas très à l'aise. » Au terme de la discussion, il promet à ses interlocuteurs de se rendre à Chicago le lendemain soir, même si, ajoute-t-il, il n'en démord pas : il a raison, ils ont tort, et ce voyage n'a pas le moindre sens. Mais ils viennent de lui promettre qu'en échange de sa présence sur place ils ne l'appelleront plus par la suite – autrement dit, personne ne l'obligera à annuler, pour quelque raison que ce soit, son séjour en Europe, vers laquelle nous nous envolerons dans dix jours – c'est là en effet que se tiendra la vente aux enchères (dont Doug, Stan et Carol ignorent tout, bien entendu).

Sans doute, me dis-je, va-t-il m'emmener à Chicago cette fois, même si je vois mal l'intérêt de cette escapade au point où nous en sommes de notre relation. Et puis, comment compte-t-il la caser dans notre programme de dressage intensif ? L'alarme de son Mac me tire de mes réflexions : c'est bientôt l'heure de mon cours de yoga. Jonathan déboucle mon collier et me congédie.

Le soir, il se montre silencieux et passionné. Étrangement affectueux – si tant est qu'on puisse tenir pour des marques d'affection le fait de me baiser par tous les moyens possibles et imaginables. Éreintée, je termine au bord de l'évanouissement. Ensuite il me bat, mais sans violence : quelques coups de ceinture, puis il m'expédie au lit de bonne heure.

Le lendemain matin, après que je lui ai apporté son petit-déjeuner (et pris le mien dans une assiette posée par terre à ses pieds), Mme Branden fait entrer dans le bureau un homme que je n'ai encore jamais vu. Il ne ressemble à aucun de ceux qui fréquentent d'ordinaire la villa. Proche de la soixantaine et ventripotent, un entrain à la Sydney Greenstreet[1]. Il est vêtu d'un pantalon très ordinaire, en polyester bleu ciel, sous une chemise jaune affublée d'un alligator. Jonathan, qui me demande de baiser sa chaussure (il porte des mocassins blancs !), l'appelle « sir Harold ». Bon sang, mais c'est bien sûr : il s'agit probablement d'un de ces acteurs de porno tels qu'il en compte parmi ses amis. L'un de ces types loufoques pour lesquels il éprouve un immense respect. Question loufoquerie, sir Harold nous a sorti le grand jeu. Il ne me reste plus qu'à patienter.

L'inconnu prend place dans le fauteuil de Jonathan, celui-ci s'asseyant sur une chaise face à lui. Je me tiens à genoux devant mon maître. La gouvernante apporte du café et des petits pains, que sir

_____
1. Acteur anglais (1879-1954).

Harold trempe dans sa tasse avant de les dévorer. Avec Jonathan – qui lui manifeste beaucoup de révérence –, il se montre expansif, chaleureux, presque paternel. Ils parlent un peu « affaires », louent le bon vieux temps, dénigrent l'ignorance qui, selon eux, régit notre époque. Ils évoquent l'établissement de Kate, à Napa. Enfin, ils passent aux choses sérieuses. En l'occurrence : moi.

— En tout cas, dit Jonathan, merci mille fois de répondre présent malgré l'urgence. Sinon, il aurait fallu que je l'emmène avec moi, ce qui ne me convenait pas du tout. Ou que je l'envoie chez Kate.

— Tu aurais dû l'envoyer chez Kate, lâche sir Harold d'une voix de basse, en engloutissant le dernier petit pain. Je ne comprends pas ce qui t'en empêche.

— Elle est débordée, se défend Jonathan avec une grimace. Cette semaine, elle reçoit un émir, ou un sénateur. Peut-être bien les deux.

— Ne me prends pas pour un crétin, Jon, le mouche le gros homme. Kate parvient toujours à se charger d'une gamine de plus si nécessaire. En toutes circonstances. Tu n'as pas envie de l'expédier là-bas, c'est tout. Quoi qu'il en soit, je suis ravi de t'aider. Sur ce, trêve de bavardages : je voudrais y jeter un coup d'œil.

Jonathan me tapote l'épaule.

— Debout, Carrie. Sir Harold va t'examiner.

Je me lève pour rejoindre l'inconnu près de son fauteuil.

— Tourne-toi, petite.

Je m'exécute. Lentement.

— Elle a de belles jambes. Elle fait du vélo, c'est ça ? Le cul est bien, aussi. Mieux que bien. Poétique. Le genre de cul qui vous parle depuis l'autre bout d'une pièce noire de monde.

Quelle affreuse métaphore, me dis-je. D'un coup d'œil, j'observe que Jonathan paraît aussi dérouté que moi, même s'il acquiesce aux propos de son ami. Il y a de la timidité dans ses manières.

— Et la bouche ? poursuit sir Harold.

— Tout va pour le mieux de ce côté-là. Vous n'avez qu'à l'essayer. À genoux, Carrie.

— Baisse ma fermeture éclair, poulette. Et fourre-la dans ta bouche.

Sa queue, qui n'est pas encore en pleine érection, grossit à mesure que je la suce. Elle grossit de façon spectaculaire. L'homme gagne peu à peu le fond de ma gorge en émettant des gémissements gutturaux – ce qui ne l'empêche pas de continuer à m'étudier avec soin. Jonathan est nerveux. Je le suis autant que lui, même si je fais tout mon possible pour satisfaire son visiteur. À quoi ce manège rime-t-il ?

Sir Harold se retire avant d'éjaculer et me saisit par les épaules.

— Tourne-toi, me commande-t-il durement, joignant le geste à la parole.

Il possède une force impressionnante et de grosses mains résolues, sûres de leurs mouvements. En une fraction de seconde, me voilà à quatre pattes, les fesses en l'air. Je n'ai rien vu venir, au contraire de Jonathan, qui tient déjà l'ottomane à la disposition de son ami – à peine y suis-je installée qu'il écarte lui-même mon cul « poétique ».

Sir Harold me sodomise. Il geint puis se met à crier. J'ai mal, mes yeux s'emplissent de larmes, mais je crois m'être comportée selon ses désirs.

Comme il referme sa braguette et reprend haleine, Jonathan me fait signe de m'agenouiller à nouveau près de lui, au garde-à-vous. J'obéis. Nous attendons tous deux quelques minutes, les yeux rivés sur le gros homme qui, entre-temps, s'est rassis dans le fauteuil.

— Elle fera l'affaire, lâche-t-il enfin. Je suppose que tu lui as enseigné quelques petites bricoles. Je l'emmène avec moi.

Jonathan pousse un soupir de soulagement et dépose un baiser sur l'une de mes omoplates.

— Va chercher un manteau, Carrie, me dit-il.

M'emmener avec lui, soit. Mais où ?

Une fois mon vêtement sur le dos et mes chaussures aux pieds, je sors de la villa en compagnie des deux hommes. Une camionnette est garée le long du trottoir, suivie d'une remorque d'ordinaire réservée au transport des chevaux – en général, ces vans sont partiellement ouverts à l'arrière, laissant voir la croupe des montures. Celui-ci est fermé, et porte sur le flanc une inscription en grosses lettres : LES PONEYS SUR MESURE DE SIR HAROLD. J'ai soudain les jambes en coton et je ne souhaite plus qu'une chose : m'enfuir en courant. Mais Jonathan, une main posée contre mes reins, me pousse vers le véhicule d'un pas décidé.

Sir Harold ouvre l'arrière de la remorque, dans laquelle nous pénétrons. On a recouvert le plancher de paille fraîche. Il referme la porte derrière nous.

— Déshabille-toi, exige-t-il. Puis penche-toi en avant.

Je remets à Jonathan mon manteau et mes souliers. J'éprouve une sensation étrange à fouler la paille de mes pieds nus. Je m'incline, empoignant une barre horizontale fixée au fond du van. Un gode-miché enduit de vaseline commence à s'introduire dans mon anus. J'avale une grande goulée d'air, tandis que sir Harold enfonce profondément l'engin avant de le maintenir en place au moyen de solides bandes de cuir brun dont il me ceinture la taille. Quelque chose me chatouille à présent l'arrière des cuisses et des genoux. Du crin. Une longue queue de cheval pend à l'extrémité du gode. L'ami de Jonathan me donne une claque sur la fesse.

— Redresse-toi.

Il passe à présent de minces lanières de cuir autour de ma tête, qu'il attache à l'arrière. L'une des sangles me barre verticalement le visage, les deux autres s'étirant depuis le haut de mon nez jusqu'aux lobes de mes oreilles. Je me retrouve avec un morceau de plastique dans la bouche, qui m'écartèle les lèvres et m'empêche de parler.

— Puis-je la voir ? interroge timidement Jonathan.

Sir Harold acquiesce, puis me donne une nouvelle claque sur les fesses pour me signifier de faire volte-face.

Jonathan me dévisage avec ravissement – on dirait qu'il me voit pour la première fois. Il caresse doucement mes seins avant de me frotter derrière l'oreille, comme il flatterait une bête pour tenter de communiquer avec elle. Jamais je ne me suis sentie pareillement humiliée : le mors m'interdit de prononcer la moindre parole et cette queue me ravale au rang d'animal. Je recroqueville mes orteils sous la paille et adresse à Jonathan un regard malheureux. Sans me lâcher des yeux, il pose une main sur mes fesses, de l'autre il effleure mon visage entre les courroies. Comme je baisse les paupières, il me frappe durement la poitrine : il exige que je continue de le fixer. Ils vont me parler le moins possible, me dis-je, car je suis désormais l'un des « poneys sur mesure » de sir Harold. Je relève la tête. Je soupire en tremblant un peu.

— Tu la rends nerveuse, alerte-t-il Jonathan en caressant lentement mon cul d'une de ses grosses mains épaisses.

À mon immense surprise, ces attouchements m'apaisent.

— Doucement, doucement… Là… C'est ça…

On croirait presque qu'il fredonne.

Je rectifie mentalement mes prévisions : ils vont me parler, mais ils ne le feront que sur ce ton, dans l'attente d'une réaction physique plutôt que verbalisée.

Sir Harold se tourne vers Jonathan.

— C'est un beau brin de fille, lui dit-il, mais elle est trop tendue. Comme toi. Je vais avoir du boulot.

Après avoir fixé des rênes aux anneaux de cuivre situés à l'extrémité de mon mors, il tire dessus. À ma bouche meurtrie fait écho la douleur que je ressens dans les seins et le sexe – à quoi s'ajoute ma honte qui, pareille à une vague, déferle à l'intérieur de moi. Ce que j'éprouve ne ressemble à rien de connu, au point qu'un terrible effroi me saisit. Suivant les ordres muets du dresseur, je me détourne de Jonathan – me voilà dans le sens de la marche. Sir Harold noue les rênes à la barre horizontale. D'un bref mouvement du menton, il désigne mes mains. J'ai compris : je saisis de nouveau la barre. Sans doute faut-il que je m'y agrippe pour ne pas tomber au démarrage de la camionnette. Il amarre les anneaux de mes poignets aux anneaux dont la barre est pourvue. Jonathan caresse une dernière fois mon cul.

— D'ici une semaine, lui assure son ami tandis qu'ils descendent du van, dont ils referment la porte derrière eux, tu ne la reconnaîtras plus.

Et moi ? Me reconnaîtrai-je ?

Le moteur de la camionnette se met en marche. Je tiens bon. Bientôt, nous prenons l'autoroute et traversons le Bay Bridge. Par un hublot percé dans l'un des flancs de la remorque, je distingue le paysage au-dehors. D'abord, je crains que les automobilistes ne découvrent mon visage affublé de sa bride, mais personne ne semble me remarquer – pas même les petits enfants, qui pourtant s'ingénient à traquer le poney qu'ils rêvent d'entrevoir. J'en conclus qu'il s'agit d'une vitre sans tain.

Combien de temps passons-nous sur l'autoroute ? Bien sûr, je ne porte pas de montre. Deux heures, peut-être ? L'étroit hublot ne me permet pas de repérer les panneaux indicateurs. Je sais au moins que le soleil brille et qu'il fait chaud – un air brûlant pénètre dans le van par ses conduits d'aération. Pour le peu que j'en perçoive, nous circulons en pleine campagne, probablement dans Central Valley. Les cahots se multiplient : nous voici engagés sur une voie gravillonnée. Sir Harold s'arrête un instant pour ouvrir une barrière, après quoi je me sens plus ballottée que jamais. Nous gravissons une colline par un chemin de terre et de pierraille.

Nous arrivons enfin. Le gros homme ouvre le van, grimpe à son bord puis, sans un mot, me détache et m'oblige à quitter l'habitacle en tirant sur mes rênes. Éblouie, je cligne des yeux dans la lumière vive. Je sens de l'herbe sous mes pieds. Un jeune homme vêtu d'un jean, de bottes de cow-boy et d'un T-shirt Aerosmith tient dans les mains une paire de gros croquenots à lacets et semelles épaisses. Il me décoche un large sourire. Il possède une peau sombre et des dents très blanches. Il s'agenouille pour me chausser.

— Pas mal, patron, souffle-t-il.

Tandis que mes yeux s'accoutument à la clarté, je poursuis mon examen : c'est un garçon trapu, solide, dont le T-shirt se tend sur un large poitrail et des épaules carrées.

— Pas la moindre expérience, en revanche, observe-t-il. Ça se voit comme le nez au milieu de la figure. Elle s'appelle comment ?

— Carrie, répond sir Harold. Nous allons l'installer à côté de la blonde aux cheveux bouclés. Elle se prénomme Carrie aussi, non ?

— Cathy, patron, rectifie le jeune homme en souriant de nouveau.

Celui-là, me dis-je, un rien l'amuse. Peut-être rêvait-il depuis son jeune âge de passer le plus clair de son temps avec des filles nues équipées de brides et de queues-de-cheval. Il a serré très fort les lacets de mes chaussures, que je trouve massives – elles me donnent envie de taper des pieds. Le garçon tire d'un coup sec sur mes poils pubiens avant de se remettre debout puis, avec mes rênes, il forme une boucle qu'il passe autour d'un poteau de la palissade qui corsète un terrain circulaire d'une trentaine de mètres de diamètre.

À l'intérieur de l'enclos, une demi-douzaine de filles affublées, comme moi, d'une bride et d'une queue, se déplacent à des allures diverses sous la surveillance de quelques types en jean, qui ne lâchent pas leur cravache. Chaque pensionnaire se livrant à un exercice différent, il m'est impossible de déduire de ce spectacle un schéma d'ensemble. L'une saute par-dessus des haies. D'autres s'entraînent successivement au pas, au trot, au petit galop. Deux autres encore, partageant le même harnais, trottent côte à côte dans une parfaite harmonie. Et celle-ci, qui avance au pas de l'oie. Ou celle-là, qui semble participer à un défilé militaire, les genoux haut levés à chaque enjambée. Contrairement à ses compagnes, dont les chaussures sont pareilles aux miennes, elle porte des talons aiguilles. Je grimace en observant ses pieds se poser l'un après l'autre sur le sol inégal.

Soudain, j'entends des bruits de pas précipités, ainsi qu'un tintement. Je me retourne… Le voilà donc, le résultat, le produit fini qui, depuis les collines boisées, se dirige vers nous le long d'un sentier. Si l'on voulait encore accroître mon stress, on ne pouvait s'y prendre mieux. M'imposer ce tableau, à ce moment précis…

Il s'agit d'une charrette, avec un petit siège posé sur deux grandes roues et affectant un peu la forme d'une charrue, ou d'une brouette à l'envers. Un cocher armé d'un fouet tient les rênes, au bout desquelles, progressant vite mais avec précaution, haussant les genoux à chaque pas, court, pleine d'élégance, une jeune femme harnachée et bridée. Je ne saisis pas très bien de quelle manière le harnais se trouve relié à la voiture, mais je constate qu'on a menotté la fille à deux poignées métalliques (assez semblables à celles d'une brouette), où s'exerce l'essentiel de la traction. Un dispositif ingénieux, qui fonctionne à merveille : l'équipage se déplace à grande vitesse. Comme celui-ci se rapproche de nous, je vois la « monture » transpirer, haleter, tandis que le cocher sourit de toutes ses dents.

Il s'apprête à passer devant nous sans ralentir l'allure. Au contraire, même : l'homme fait claquer son fouet pour que la jeune femme accélère. Mais à une vingtaine de mètres de nous, il tire sur les rênes : la tête de la fille se trouve violemment rejetée vers l'arrière.

— Ho ! braille le cocher. Ho, Stéphanie.

En une fraction de seconde, cette dernière parvient à s'immobiliser, si près de nous cependant que je distingue le bleu violet de ses yeux.

L'homme saute à bas de la charrette et noue les rênes autour d'un poteau de la clôture, non loin de moi. Je scrute Stéphanie avec curiosité. Le mors a beau lui déformer la bouche, la sueur a beau ruisseler sur son visage, elle n'en demeure pas moins splendide. Divine. Elle porte de longs cheveux noirs rassemblés en une lourde tresse pour éviter qu'ils s'emmêlent dans les sangles. Néanmoins, de petites mèches rebelles jaillissent de-ci de-là : à peine la natte défaite, sa chevelure doit cascader en généreuses boucles brunes jusqu'à ses fesses, zébrées par le fouet et ornées, comme les miennes, d'une longue queue de crin. Ses seins ronds se soulèvent et s'abaissent en cadence ; elle reprend haleine peu à peu, et sa peau de pêche a rosi sous la mince couche de poussière qui la souille. Je la fixe toujours, subjuguée, mais elle regarde droit devant elle. Elle se concentre sur sa respiration, elle étire et détend scrupuleusement ses muscles.

« Aerosmith » la détache, courroie par courroie et boucle à boucle, de tout ce qui l'entrave à la charrette, avant de la bouchonner au moyen d'un chiffon doux. Lorsque son corps est sec, il lui caresse l'oreille en s'adressant à elle sur le ton chantant que sir Harold a adopté plus tôt pour me parler dans la remorque. « Doucement, doucement, là… » Mais déjà, le souffle de Stéphanie s'est apaisé, elle respire plus régulièrement. Elle affiche une mine sereine – j'ai même l'impression qu'elle s'ennuie, au point qu'elle continue de fixer le lointain alors qu'Aerosmith lui tapote les seins avec un léger soupir, avant de la tirer par ses rênes en direction d'un groupe de bâtiments – des granges peut-être bien – situés en contrebas, et dans l'un desquels ils pénètrent bientôt, disparaissant de ma vue.

Entre-temps, sir Harold a rejoint le cocher, un certain M. Finch, je crois. Visiblement aux anges d'avoir cinglé le cul bondissant de Stéphanie, le client est pourtant de ceux qui ne sauraient profiter d'une prestation sans s'en plaindre un peu, aussi se permet-il de signaler au propriétaire des lieux un léger grincement dans l'une des roues, ajoutant qu'il se sentirait plus à son aise s'il faisait moins chaud. Sir Harold acquiesce, obligeant, avec l'aplomb de ces vendeurs sûrs de leur marchandise. Il ouvre un petit compartiment situé à l'arrière de la voiture, dont il extrait un bidon d'huile. Il lubrifie la roue récalcitrante, puis replace le bidon où il l'a trouvé.

La caisse de la charrette, en fibre de verre recouverte d'un placage en bois d'un noir brillant, se trouve ici et là rehaussée de rouge et d'or. Les rayons des roues sont dorés eux aussi, et quant au siège, on l'a confectionné en cuir rouge foncé. À l'aplomb d'une des roues se distingue un frein – sans lui, la voiture aurait basculé par-dessus Stéphanie lorsqu'elle s'est si sèchement arrêtée devant nous. L'engin, pour finir, malgré ces détails techniques, m'évoque plutôt un véhicule de conte de fées.

Sir Harold expose à M. Finch qu'à l'avenir, s'il entend grincer à nouveau la roue, il ne devra pas hésiter à utiliser le bidon d'huile mis à sa disposition.

— Chaque voiture, répète-t-il, ainsi que tous les poneys font l'objet d'une révision complète après chaque promenade, mais la perfection, vous me l'accorderez, n'est pas de ce monde.

« Je n'exerce pas un métier facile, soupire-t-il. Certaines de nos charrettes prennent de l'âge, elles réclament toute mon attention. Sans parler des nouveaux poneys. Tenez, regardez cette gamine, là-bas, près de la barrière, que nous n'avons pas encore débourrée. Je l'ai prise avec moi pour rendre service à son maître, un charmant garçon que je connais depuis des années. Elle fera une monture épatante, mais d'abord il lui faut un brin de dressage. Je suis un professionnel, j'ai l'œil : elle possède un corps superbe, mais elle pense trop. Pas comme notre petite

Stéphanie, qui réagit au quart de tour. Avec elle, on n'use du fouet que pour le plaisir de lui zébrer la croupe.

C'est alors que ce cher M. Finch se rappelle qu'il a aussi payé pour une fellation. À présent, Stéphanie doit être à nouveau fraîche et dispose, prête à s'occuper de lui au fond de son box. L'homme serre la main de sir Harold, puis se hâte en direction des écuries.

Sir Harold, de son côté, me considère longuement. C'est la première fois que je me retrouve seule avec lui et, pour tout dire, il me terrorise. Il lit en moi comme dans un livre ouvert : il a saisi que, les premiers temps, il obtiendrait peu de moi, car c'est de mots que j'ai besoin pour me soumettre, non de caresses ou de gifles. Il a donc, je le comprends soudain, volontairement tenu cette conversation avec son client en ma présence, pour me transmettre par ce biais un certain nombre d'informations. Je lui retourne gravement son regard, manière de lui indiquer que j'ai reçu son message. Il hoche la tête avec satisfaction.

— Frank ! s'écrie-t-il en se tournant vers l'un des employés qui s'affairent dans le manège. Conduis-moi celle-ci à l'écurie. Elle s'appelle Carrie. Installe-la à côté de Cathy, donne-lui à manger, puis fais-lui faire un petit somme. Nous commencerons le dressage cet après-midi.

Frank est un grand garçon efflanqué au visage couvert de taches de rousseur. Sympathique.

Comme ses collègues. Il se saisit de mes rênes et me donne une claque sur les fesses.

— C'est bien, tu es gentille. Viens.

Nous marchons d'un bon pas jusqu'au bâtiment où j'ai vu entrer plus tôt Aerosmith et Stéphanie. Il s'agit bel et bien d'une écurie au sol couvert de paille, divisée en stalles réparties de part et d'autre d'une allée centrale. Une écurie qui, jadis, devait abriter de vrais chevaux, avant qu'on la reconvertisse en abri pour « filles-poneys » – on l'a d'abord nettoyée avec soin, car on n'y hume guère que l'odeur de la paille. Je dénombre quatorze boxes en tout, sept de chaque côté de l'allée.

Nous passons devant une stalle dans laquelle, au-dessus de la porte fermée, je distingue les épaules de M. Finch, ainsi que ses cheveux blond-gris. Il émet de petits gémissements. Une chaîne, fixée au mur du fond et descendant jusqu'au sol, se balance en rythme : même si je ne la vois pas, je sais qu'à l'autre extrémité de cette chaîne se tient Stéphanie, à genoux dans la paille, choyant de la langue et des lèvres le sexe de M. Finch. Une part de moi se réjouit de la savoir contrainte d'honorer ce type désagréable – espèce de sale petite pimbêche belle comme le jour. Quelle idiote je suis. Dans les heures qui viennent, me dis-je, on t'obligera à faire bien pire. Mais c'est plus fort que moi : ma joie mauvaise perdure.

Frank me mène dans un box, où il me débarrasse de ma bride et de ma queue, ainsi que de mon collier et de mes poignets de cuir – que je porte depuis le matin (ils viennent de la villa de Jonathan). Après avoir suspendu la queue, assortie de son gode et de ses lanières, à un crochet scellé dans le mur, le palefrenier quitte la stalle avec le reste de mon attirail. Pourquoi a-t-il ôté ma bride ? À son retour, il retire mes chaussures puis, accompagnant son geste d'une nouvelle claque sur les fesses, il me désigne du menton la porte du box. Je lui emboîte le pas jusqu'à un appentis assez vaste pour contenir une douzaine de personnes. Pas de sièges. De simples trous dans le sol, au-dessus desquels on s'accroupit… Ces latrines sont propres – à l'exception de quelques mouches.

Mes affaires faites, je regagne ma stalle à la suite de Frank : il passe autour de mon cou un ample collier à maillons métalliques qu'il attache à une longue chaîne fixée à la paroi de la pièce – pareille à celle qui retient Stéphanie prisonnière. Sans cesser de siffloter, le garçon d'écurie s'éclipse à nouveau pour revenir muni d'une casserole de nourriture et d'un récipient contenant de l'eau, qu'il accroche en haut de la porte, c'est-à-dire au niveau de ma bouche – je mange donc debout et, cela va de soi, sans me servir de mes mains. Mon menu se compose d'un mélange de céréales et de légumes, dont le goût évoque celui des flocons d'avoine. Je fais confiance aux propriétaires des lieux pour proposer à leurs « filles-poneys » de quoi assurer leur équilibre alimentaire. Surnageant au milieu de cette bouillie pour chats, je n'identifie guère que quelques cubes de carotte et de céleri. Jamais je n'aurais cru qu'un mets ainsi réduit à sa seule valeur nutritionnelle puisse à ce point déshumaniser celui ou celle qui le consomme. Pour un peu, je m'en détournerais, mais je meurs de faim. Quand, de l'autre côté de la porte, Frank me tend en guise de friandise une superbe pomme verte, elle me séduit tant que je la dévore au creux de sa paume, allant jusqu'à lui lécher consciencieusement les doigts une fois qu'il en a jeté le trognon. Il s'essuie la main dans mes cheveux, puis me caresse le visage. Je commence à éprouver de l'affection pour lui, et cela m'effraie.

Revenu à l'intérieur de mon box, il me flatte la croupe en me murmurant que je suis gentille et que j'ai besoin de repos ; ce disant, il me montre de l'index un tas de paille garni de quelques couvertures. Je me glisse entre ces dernières, pour m'endormir aussitôt.

À mon réveil, l'écurie bruisse comme une ruche – la plupart des stalles sont maintenant occupées. Je suppose que c'est parce que je viens d'arriver qu'on m'a nourrie avant les autres, qui doivent s'être restaurées pendant ma sieste. Et les voilà qui, déjà, quittent à nouveau les box ; les palefreniers s'affairent autour des harnais et des brides.

L'un d'eux, que je n'ai pas encore croisé, vient me préparer.

— On retourne bosser, fredonne-t-il, tandis que je me relève en titubant ; je me frotte les yeux.

Ayant enduit mon godemiché de vaseline, il l'enfonce dans mon anus. La bride, en revanche, n'est pas la même que tout à l'heure : le mors de celle-ci se compose de métal froid – on passe donc aux choses sérieuses. Le jeune homme me harnache ensuite le buste. Des boucles se ferment sur mes épaules, et me voici affublée d'un nouveau collier, plus rigide que le précédent. À ce collier se trouvent assortis des poignets de cuir, que le palefrenier referme dans mon dos, un peu au-dessus de ma taille, en sorte qu'ils n'entravent pas la queue que j'arbore. Enfin, il m'aide à renfiler mes chaussures avant d'attacher des rênes à ma bride. Nous quittons le box.

Je dénombre quatre garçons d'écurie pour quatorze « pensionnaires ». Il y a Frank, Aerosmith – qui, en réalité, se prénomme Mike –, ainsi que Don et Phil. Ces quatre-là s'entendent à merveille, s'échangent d'une voix forte des questions et des réponses, se partagent volontiers les tâches. En outre, ils ne lambinent pas. C'est qu'il en faut, du temps et de l'habileté, pour nous harnacher de pied en cap. On les charge aussi de nettoyer les stalles, de graisser les roues des charrettes. Ils sont payés pour cela. Après m'avoir parée de tout mon attirail, Phil en resserre encore chaque courroie, en rajuste chaque boucle avec soin – je suis aussi étroitement sanglée que dans un corset. Nous quittons tous deux mon box pour nous diriger vers la sortie en suivant l'allée centrale, de part et d'autre de laquelle il récupère, dans une stalle ou dans une autre, une fille qu'il entraîne à son tour au bout de ses rênes. Nous sommes quatre à présent, qu'il mène gaiment jusqu'au manège. Le soleil de l'après-midi jette sur le décor une lumière dorée ; nous évoluons dans un cadre bucolique et charmant.

Occupée à maintenir au mieux la cadence imposée et à placer ma langue à l'intérieur de ma bouche de manière que le mors m'incommode le moins possible, je ne reconnais pas tout de suite la superbe Stéphanie parmi notre groupe de jeunes femmes ; sa queue tressaute à chacun de ses pas. Après avoir cherché à croiser son regard, pour constater bien vite qu'elle refuse toute espèce de communication avec moi, je lève les yeux au ciel en soupirant derrière mon mors. J'ai pourtant été discrète, mais aussitôt la fille qui évolue à mes côtés heurte sa hanche contre la mienne : lorsque je me tourne vers elle, elle me désigne la pimbêche du menton en roulant les yeux.

Sans le mors, je lui sourirais volontiers – sans doute l'a-t-elle deviné. Tandis que nous pressons le pas, je l'observe à la dérobée. De courts cheveux blonds et bouclés encadrent un visage au menton pointu, aux pommettes hautes. Ses seins, très fermes, se dressent entre les lanières du harnais. Je vois jouer joliment ses muscles fins sous sa peau bronzée. Cathy, je suppose. Il me semble la reconnaître, mais où… ? Si l'esprit se voit contraint de se plier à des règles et des concepts nouveaux, le corps, lui, ne perd pas la mémoire pour autant. À preuve que, sans m'en rendre compte, je baisse le regard vers ses cuisses, en quête de zébrures. Je les repère en effet. La cicatrisation en est presque achevée, mais on ne saurait s'y tromper. Ces marques si régulièrement espacées… Je me rappelle sa maîtresse, lors du concours de dressage. Je me rappelle l'œil adulateur de la jeune femme. Je me réjouis de constater que, en dépit de son admiration sans bornes pour celle qui la domine, elle a su conserver son sens de l'humour. Sa présence me réconforte.

Cette fois, tous les poneys ont rejoint le manège. Sir Harold s'y trouve aussi, supervisant activement les opérations, tandis qu'autour de lui les palefreniers s'affairent de droite et de gauche. On a attelé plusieurs filles à des voitures – parmi lesquelles on compte un véhicule à deux places, tiré par deux poneys entravés par un commun harnais. Je vois encore un petit carrosse ouvert, à quoi l'on attache, deux par deux, quatre montures. J'aurais plaisir à m'attarder sur la complexité des harnachements, à contempler les individus parés de beaux atours qui s'apprêtent à jouer les cochers… Hélas, d'un coup sec sur les rênes, Frank m'entraîne avec Cathy à l'intérieur du manège.

Il nous conduit dans un coin, où se dresse un mât dont pendent, suspendues à son faîte, des chaînes de trois mètres environ. Autour du mât se devine, au sol, le parcours circulaire décrit par les poneys qu'on y place à l'exercice. Frank fixe une chaîne à mon collier, une autre à celui de ma coéquipière, avant de nous placer chacune sur un point précis du cercle – Cathy à midi, et moi à trois heures. Les chaînes se tendent un peu. « Au pas ! », aboie notre palefrenier d'une voix forte et brusque.

Nous obéissons. Je tâche d'imiter Cathy dans le moindre détail : le rythme, la posture. Je n'augmente ni ne réduis jamais la distance entre nous. La tension que j'exerce sur la chaîne reste constante. Mais j'ai beau me féliciter, la cravache de Frank me cingle les mollets, les fesses ou les épaules, chaque fois que je passe devant lui.

— Lève la tête ! braille-t-il. Sors tes nichons ! Plus hauts, les genoux !

Et il a l'œil, le bougre… En effet, à y regarder de plus près, si Cathy a bel et bien un port de reine, je ne lui arrive pas à la cheville. Bavant derrière mon mors, je multiplie les efforts.

Sans doute le dresseur note-t-il quelques progrès car, bientôt, nous passons au trot, puis au petit galop (j'en déduis qu'on réserve le pas de l'oie aux montures plus confirmées). À mesure que l'après-midi avance, les coups de cravache se raréfient, même si Frank multiplie les ordres en hurlant : il nous faut à présent changer d'allure en une fraction de seconde. Je me détends un peu – ce relâchement me permet de mesurer enfin à sa juste valeur les difficultés de cette formation. Les muscles de mes jambes, de mon ventre et de mon dos me font souffrir. Quant aux estafilades et aux contusions infligées par la cravache, elles deviennent de plus en plus douloureuses.

Une sueur salée, mêlée de poussière, me dégouline dans les yeux. Je suis à bout de souffle, et un peu de salive goutte aux commissures de mes lèvres.

Enfin, l'exercice se termine. Notre garçon d'écurie nous sèche la peau. Nous nous apaisons. Voilà des heures que nous œuvrons dans la douleur et l'ennui. Il fait encore chaud mais, par bonheur, le soleil a commencé de décliner un peu.

Sir Harold s'approche de nous en compagnie du client aux cheveux blond-gris dont j'ai observé le petit numéro ce matin. L'homme détache Cathy pour l'emmener avec lui.

— Voyons de quoi elle est capable, lance sir Harold à Frank.

Celui-ci me commande de trotter.

Je m'exécute. Le départ de Cathy ne me rend pas les choses aisées, mais mes muscles semblent avoir mémorisé le rythme de nos démonstrations. Frank s'est tu pour laisser officier son patron, qui vocifère et joue de la cravache à son tour. Bien sûr, il frappe plus fort que son employé, mais parfois il s'abstient : je ne dois pas trop mal m'en tirer. Au terme de ma prestation, il ordonne au palefrenier de me bouchonner.

— Elle est à toi si tu veux, ajoute-t-il.

Je n'ai donc déshonoré ni Frank, ni ma propre personne – je me surprends à ajouter : « Ni Jonathan. »

Le garçon d'écurie me raccompagne à mon box en silence. La plupart des poneys ont déjà retrouvé leur stalle, où l'on a procédé à leur toilette. Il ne reste à l'extérieur qu'une fille qu'on bouchonne, ainsi que Stéphanie, dont Aerosmith brosse tendrement les cheveux. Il doit lui falloir plusieurs heures, me dis-je, pour éliminer la poussière d'une pareille chevelure, et pour en démêler tous les nœuds. Il n'empêche : le jeune homme paraît au septième ciel (ce n'est visiblement pas un travail comme les autres à ses yeux – comment diable supporte-t-il cette situation ?). Stéphanie, selon son habitude, semble totalement ailleurs.

Frank me déleste de mon attirail, dont il empile, avec ordre et méthode, les éléments sur le sol. Puis il ouvre un robinet, pointant dans ma direction un tuyau d'arrosage. L'eau glacée me coupe le souffle. Je ne m'y attendais pas. Le liquide sous pression malmène mes ecchymoses, en revanche il apaise mes muscles endoloris. Le palefrenier me savonne des pieds à la tête, passe sur ma peau une brosse douce avant de me rincer, puis de me sécher.

— C'est bien, c'est bien, me dit-il doucement en ramassant mes divers accessoires. Retourne dans ton box. Tu vas encore travailler un peu cet après-midi, puis je t'apporterai un bon dîner.

Une claque sur les fesses, et me voici qui m'engouffre dans la stalle. Je voudrais qu'on me dispense d'exercice, qu'on me permette de sauter le mauvais repas. Je ne demande qu'à m'écrouler dans la paille.

Ayant pénétré avec moi dans le box, où il suspend à leurs crochets mon harnais, ma bride et le godemiché à queue-de-cheval, Frank me passe autour du cou le collier à maillons métalliques puis, contre toute attente, m'embrasse sur la bouche. Un long, un profond baiser. Avec la langue. Un baiser que je lui retourne avec de doux gémissements.

— Quelles jolies lèvres, me complimente-t-il. Elles sont si jolies sans la bride…

Je ne suis pas au bout de mes surprises.

— Oublie toutes ces conneries. Pour le moment, tu es une femme. Pas l'un de ces foutus poneys.

Il s'allonge dans la paille, dont il glisse un brin entre ses dents. Appuyé sur un coude, il tire sur ma chaîne pour m'inviter à le rejoindre. Il fait pression sur mes épaules : je m'agenouille. Alors il soulève un pied.

— Et maintenant, poupée, lâche-t-il d'une voix traînante, sers-toi donc de cette jolie bouche pour briquer mes bottes.

Beurk. Ses vieilles bottes de cow-boy, en cuir et peau de serpent, sont crottées, couvertes de poussière, d'herbe et de fétus de paille. Je songe aux chaussures impeccablement cirées de Jonathan, je me rappelle la petite humiliation qu'il m'a fait subir en m'obligeant un jour à les débarrasser, avec la langue, du rouge à lèvres dont je les avais malencontreusement barbouillées. Bienvenue à la cambrousse, jeune citadine…

L'opération, qui me prend un temps considérable, me laisse dans le gosier un goût épouvantable. Frank me fait boire un peu d'eau avant de retirer sa ceinture.

— Suce-moi, me commande-t-il avec douceur. Suce-moi bien. Mets-y autant de cœur que pour lustrer mes godasses, sinon je mets ton adorable petit cul en compote. Et pas à coups de cravache, mais avec ma ceinture. Peut-être bien avec la boucle, même.

Si je suis une femme – comme il me l'a indiqué tout à l'heure –, alors je peux utiliser mes doigts pour faire glisser la fermeture de son jean et en extraire son sexe. Je préfère m'en assurer en lui posant directement la question.

— Puis-je me servir de mes mains pour attraper votre queue, Frank ? Est-ce que j'ai le droit de la toucher avec mes doigts ?

Il me décoche un large sourire en m'appliquant une petite gifle.

— Tu es drôlement polie, dis-moi. Oui, tu as le droit. À condition que tu te grouilles un peu.

J'obtempère. Une fois la fermeture éclair ouverte, je fourrage un instant jusqu'à ce que son sexe jaillisse littéralement hors de son pantalon. Je le suce à qui mieux mieux. Frank sourit de toutes ses dents, il geint, l'une de ses grosses pognes pressée contre ma nuque.

Après avoir joui, pris un peu de repos et remis la ceinture de son jean, il secoue de nouveau la chaîne fixée à mon collier.

— Retour au jeu du poney, me susurre-t-il.

Et me voici de nouveau plantée sagement à l'entrée de mon box, tandis qu'il s'est remis à siffloter, à me flatter l'encolure, à me fredonner les niaiseries qu'on réserve aux animaux de compagnie en m'apportant une casserole pleine de la nourriture diététique qu'on m'a déjà imposée ce midi. Enfin, je me glisse entre les couvertures, sur la paille, avec l'espoir qu'une nuit de sommeil permettra à mes muscles meurtris d'affronter une autre journée de labeur. Quel degré d'avilissement vais-je atteindre ici ?...

Comme je m'apprête à tomber dans les bras de Morphée, une chose étrange attire mon attention. Une petite portion de tuyau d'arrosage est en train de se frayer un chemin par un trou pratiqué dans l'une des parois de mon box. La paroi qui me sépare de Cathy. Un son parcourt soudain le tube mince.

— Pssssst...

Je m'abouche à l'extrémité du tuyau.

— Cathy ?

Cette fois, c'est mon oreille que je colle contre l'orifice.

— Oui. Alors ? Comment as-tu trouvé Frank ?

— Un vrai pervers. Il s'adresse aux poneys comme si c'était des femmes !

Ma voisine se retient de pouffer.

— J'ai entendu. Sir Harold se mettrait sûrement en colère s'il apprenait ça.

— Comment t'es-tu procuré ce tuyau ?

— C'était hier, ou avant-hier. Ils m'ont obligée à tourner dans l'enclos à quatre pattes, avec une petite selle sur le dos. J'ai déniché le bout de tuyau par terre. Je l'ai dissimulé dans le creux de ma paume, au cas où j'aurais eu ensuite envie de bavarder avec ma voisine de stalle.

Je me sens soudain comme une gamine expédiée en colonie de vacances, où elle fait la connaissance de sa future meilleure amie. Ma vie reprend des couleurs.

Cathy séjourne ici depuis quatre jours. Il lui en reste trois de plus à tirer avant que Madame, comme elle la nomme, vienne la chercher pour la ramener à la maison.

— Elle a l'intention de me faire participer aux concours de dressage, m'expose ma camarade. C'est pourquoi elle m'a expédiée ici. Pour que j'y reçoive une formation de base. Si ça se trouve, elle fera ensuite installer un manège chez elle. Peut-être même embauchera-t-elle un dresseur.

— Comment te sens-tu ?

Sa voix subit alors une métamorphose étonnante : fini les menus gloussements, fini le ton un peu canaille.

— Je considère sa démarche comme un immense honneur. J'espère qu'elle sera contente en découvrant ce que j'aurai appris ici.

Comme je garde le silence (je ne sais vraiment pas quoi dire), elle poursuit.

— Et ton maître ?... Il s'agit bien de ce bel homme aux cheveux gris, n'est-ce pas ?... Pour quelle raison t'a-t-il envoyée dans ce centre ?

Je lui rapporte les préparatifs de la vente aux enchères, ma formation brusquement interrompue par les obligations professionnelles de Jonathan, contraint de se rendre à Chicago. Les ventes aux enchères, me dit-elle, elle en a entendu parler. Mais elle n'en sait guère plus que moi.

— En tout cas, tu vas devoir quitter ton maître. À ta place, j'en mourrais. Comment as-tu fait pour lui déplaire à ce point, Carrie ? Cette situation ne te brise-t-elle pas le cœur ?

Comme je réfléchis à ma réponse, nous entendons un bruit de pas : l'un des palefreniers arpente l'écurie – ronde de nuit, probablement. Blottie sous ma couverture, je fais semblant de dormir. Je m'éveille le lendemain matin dans une flaque de soleil.

Repas, pansage, harnachement. Une routine s'est déjà installée. J'éprouve une raideur dans les jambes, mais je souffre moins que prévu, d'autant plus qu'en me préparant ce matin-là, le garçon d'écurie – il s'agit cette fois d'Aerosmith – me frotte les mollets au moyen d'un liquide contenu dans une bouteille marron ; ce baume me soulage.

Dans le manège, on m'attelle à une voiture qui, pour le coup, ressemble à une brouette. Un « véhicule école », en somme, à l'arrière duquel on apposerait volontiers le macaron A du jeune conducteur !

Don tire sur les courroies, il relie les anneaux de mes menottes aux poignées de l'engin. Je ne bronche pas. Puis, sans un mot, il me met sous le nez le fouet qu'il compte utiliser. Un long fouet gansé de cuir brun sombre, un accessoire terrifiant dont, après l'avoir replié pour former une boucle, il me caresse les seins, le pubis, ainsi que le visage au travers de ma bride.

Enfin, il grimpe à bord de la voiture, tire sur les rênes en braillant « Hue ! ». Je me mets en marche pour atteindre bientôt une bifurcation. À la façon dont mon cocher manie les guides, je devine sans peine que c'est à droite qu'il me faut tourner. Je trotte à présent sur un chemin de randonnée qui, de colline en colline, serpente entre des bosquets, franchit des crêtes… Lorsque Don souhaite me voir changer d'allure, il me hurle ses ordres en exerçant une série complexe de tractions sur les rênes. Au bout d'une demi-heure environ, il se tait, se contentant d'actionner les guides pour juger de ma capacité à décrypter ses manœuvres. Dès que je tarde à réagir, le fouet claque. Ma tâche est difficile. Je crains de poser le pied dans un trou, de me tordre une cheville sur les pierres du sentier – surtout quand je dévale le versant d'une colline.

Alors que je commence à gagner en assurance et à saisir mieux le langage des rênes, les coups de fouet s'intensifient. Car il ne suffit pas de suivre les instructions, de maintenir l'allure ou de ne pas trébucher. Je dois encore avancer la tête droite, les seins conquérants, les genoux haut levés, la croupe cambrée.

Qu'est-ce que tu croyais, Carrie ? Que ces types-là paient sir Harold pour jouir des beautés du paysage ? Je me rappelle soudain les courses de chevaux auxquelles j'ai eu l'occasion d'assister, je les revois en train de s'ébrouer, je contemple en pensée l'angle parfait de leur profil, l'impeccable précision de leur pas, sabot après sabot. Je multiplie les efforts. Peu à peu naît en moi une fierté perverse.

Nous voici de nouveau sur terrain plat ; sans doute allons-nous regagner le manège. Mais au détour d'un virage, je vois que nous fonçons droit sur un muret de pierre. Don ne m'a pourtant pas signifié de ralentir. Se serait-il endormi dans la voiture ? Je suis perverse, peut-être, mais pas folle : je ralentis. Aussitôt, mon cocher se déchaîne. Tirant de toutes ses forces sur les rênes, il rejette violemment ma tête en arrière, après quoi les coups de fouet se mettent à pleuvoir sur mes épaules et sur mon cul. Don me jette en hurlant des insultes à la figure.

À l'instant où je me fige, il saute du véhicule pour se ruer vers moi, fou de rage.

— Est-ce que je t'ai demandé de freiner ? aboie-t-il. Est-ce que j'ai tiré sur tes rênes ? Est-ce que je t'ai ordonné quoi que ce soit ? Pour qui te prends-tu ? Qu'est-ce qui t'autorise à penser que tu peux prendre des décisions ? Qu'est-ce qui t'autorise à penser ?

Évidemment. Ce muret constituait un test. Et je viens d'échouer lamentablement. Après coup, l'épreuve me paraît pourtant si facile. Bien sûr, il ne m'aurait jamais laissée m'écraser contre cet obstacle.

Bien sûr, ces gens-là ne sont pas du genre à s'endormir en plein travail. Don m'aurait commandé de m'arrêter à temps. Je suis une idiote. Je suis nulle. Je baisse la tête et fonds en larmes.

Le cocher m'observe quelques instants avant de me donner une petite tape sur la joue.

— Relève le nez, me dit-il sans animosité. Nous allons retenter l'exercice.

Il remonte à bord de la voiture, me contraint à un demi-tour. Nous empruntons le chemin en sens inverse sur une centaine de mètres. Cette fois, je m'élance vers le mur en toute confiance jusqu'à ce que, juste avant l'instant fatal, Don tire sur les guides. Je m'immobilise en une fraction de seconde – on croirait Stéphanie telle que je l'ai vue à l'œuvre hier. Tandis que nous repartons vers le manège, je me délecte des éloges murmurés par mon dresseur, par ses paroles d'encouragement. En revanche, je reste sourde à la petite voix qui s'insinue en moi – sir Harold avait raison : Jonathan ne me reconnaîtra pas.

À notre retour, Don livre à son patron un compte rendu de notre matinée. Il m'estime prête, conclut-il, à transporter des clients. Phil me débarrasse de mon harnais puis me ramène à l'écurie, où il me bouchonne et me nourrit. Enfin, il m'abandonne le temps d'une courte sieste. Cet après-midi-là, je promène mon premier passager.

Ma première passagère. Et quelle déception : il s'agit d'une Muffy. Non pas l'une des Muffy de Jonathan, mais une copie conforme. Autant dire que j'ai beau faire de mon mieux, la demoiselle ne me ménage pas. J'ai l'impression que ces jeunes femmes trouvent en moi une doublure symbolique : quelque chose, dans ma personnalité, leur permet de laisser libre cours à leur imagination enfiévrée ; en m'observant, elles se voient aussitôt à ma place.

Sir Harold a raison : je pense trop. Mais s'il est entendu que je ne changerai jamais sur ce point, j'apprends, cet après-midi-là, à mettre de côté mes réflexions pour me consacrer tout entière à mon rôle équestre. C'est que les paramètres concrets se révèlent trop nombreux à traiter pour me laisser le loisir de gamberger : les jeux de l'ombre et de la lumière, les couleurs du décor, la texture et le relief du sol sous mes pas, la structure complexe de mon attirail, le plaisir et les désirs exprimés par le cocher *via* mes rênes et son fouet. Je dois encore prendre en compte mes muscles douloureux, les contusions, les galops de mon cœur, ma respiration haletante, la brûlure de cette sueur au goût de sel qui me coule dans les yeux. Et puis ce défi, ce défi constant : garder fière allure en dépit des difficultés.

Dès la nuit tombée, cependant, je m'empresse de pouffer et de cancaner avec Cathy grâce à notre tuyau d'arrosage. J'en conçois un réel soulagement, je trouve là un moyen de renouer avec mon vrai caractère. Mon amie n'aime rien tant que parler de

Madame, d'en vanter l'élégance et la cruauté, mais je m'aperçois qu'à l'inverse je n'ai aucune envie d'évoquer Jonathan. Je ne sais plus très bien ce que je pense de notre séparation.

Cathy réagit admirablement bien à mon silence. Certes, me dit-elle, elle ne me comprend pas, mais elle sait que chaque esclave est unique, et pareillement uniques les motifs qui ont poussé celui-ci ou celle-là à se lancer dans cette aventure. Aussi cesse-t-elle très vite de me poser des questions. Nous passons plutôt nos soirées à échanger des avis sur les clients, sur les garçons d'écurie – en particulier lorsqu'en guise de récompense sir Harold leur permet d'user de nous à leur guise. Nous discutons également des autres poneys. Des informations glanées ici et là, nous concluons que, comme nous, la plupart des filles se trouvent ici à titre temporaire, leur maître ou leur maîtresse ayant lâché à sir Harold des sommes astronomiques pour assurer leur formation équestre. Sir Harold, lui, possède quatre filles. Ces quatre-là sont capables de marcher au pas de l'oie et, ajoute Cathy dans un murmure, de crapahuter dans les bois en talons aiguilles. Je peine à le croire, mais à les observer de plus près chaque fois que l'occasion m'en est donnée, je constate qu'en effet Gillian, Cynthia, Anna et Jenny possèdent un pied particulièrement sûr. En outre, elles sont superbes, et leur démarche orgueilleuse force le respect.

Toutefois, nos commérages tournent essentielle-ment autour de Stéphanie. La vilaine petite prin-cesse Stéphanie. Même les poneys de sir Harold n'affichent pas cet air hautain, aucun d'entre eux n'agit avec cette perfection mêlée d'indifférence. Cathy et moi sommes persuadées que Mike (je continue, contre vents et marées, à le surnommer Aerosmith) en est éperdument amoureux. Nous jugeons cette toquade d'un très mauvais œil. Bien sûr, des liens se sont établis entre les palefreniers et nous : nous admirons la qualité de leur travail, nous acceptons avec bienveillance leurs petites fantaisies personnelles (la tendance de Frank, par exemple, à traiter, dans l'intimité, les poneys que nous sommes en êtres humains). Au point que je m'étonne chaque jour de la richesse de notre communication – le mors, finalement, n'entrave pas nos échanges autant que je l'aurais cru. De même, les garçons d'écurie nous transmettent, en peu de mots, de nombreux messages. Je comprends mieux, maintenant, pour-quoi Kate Clarke a décrété à Jonathan que, si je lui appartenais, elle s'empresserait de m'affubler d'une bride et d'un mors. Elle avait raison. C'est précisé-ment ce dont j'avais besoin.

Stéphanie, pour sa part, se situe bien au-dessus de toutes ces considérations. Cathy et moi médisons d'elle de notre mieux, nous rivalisons de créativité pour mettre au point, en pensée, des humiliations pour elle seule – humiliations qu'elle ne subira jamais, puisqu'elle adopte, en tout lieu et en tout temps, un comportement exemplaire. Si nous étions en colonie de vacances, nous lui aurions fait depuis belle lurette son lit en portefeuille ! Ou, pendant son sommeil, nous aurions plongé l'une de ses mains dans un seau d'eau pour qu'elle fasse pipi dans son sac de couchage.

— J'aurais adoré la voir tirer une charrue, me confie Cathy un soir.

C'est la dernière nuit que mon amie passe ici : demain, Madame vient la chercher. Elle se sent si enthousiaste qu'elle ne réussit pas à fermer l'œil. Je ne dors pas davantage : une grande tristesse m'envahit à la perspective de me séparer d'elle. À la fois exténuées et débordantes d'énergie, nous ressassons donc nos bêtises concernant Stéphanie, pour le pur plaisir d'affermir notre complicité. Mais cette histoire de charrue me fait soudain dresser l'oreille.

— Une charrue ? Il y a une ferme dans le coin ?

— Eh bien… Quand Madame m'a amenée ici, nous sommes passées en voiture à côté d'une fille qui tirait une charrue. Je crois qu'il y a un jardin potager. Ils cultivent aussi des fleurs. La fille en question est rentrée chez elle, depuis. Quand je l'ai vue, elle était crevée, couverte de boue, elle avançait pliée en deux. C'était affreux. Madame a interrogé sir Harold à ce sujet, qui s'est contenté de grommeler qu'il s'agissait là d'une punition. « Ce poney s'était mal comporté », a-t-il ajouté.

— C'est abominable, je souffle. Je suis d'accord avec toi : ça conviendrait parfaitement à Stéphanie.

Et nous voilà parties à fantasmer, à imaginer les tourments endurés par la malheureuse, tant et si bien que nous n'entendons pas approcher Phil et Mike qui, cette nuit, effectuent leur ronde en duo. Le faisceau d'une lampe se braque tout à coup sur le morceau de tuyau courant de ma bouche à l'oreille de Cathy.

— Regardez-moi ça, commente Phil d'une voix pâteuse. Deux petits poneys en train de parler au téléphone. Ou en train de faire semblant, parce que chacun sait que les poneys ne savent pas parler. C'est trop mignon. Tu sais, Mike, je crois qu'on devrait montrer ça au patron. Debout, vous deux.

À peine nous sommes-nous levées en titubant un peu que les palefreniers nous fourrent dans les bras tout notre matériel – chaussures, bride, harnais… Sans oublier notre « téléphone ». Après quoi, munis chacun d'une cravache, ils nous cinglent les fesses en nous poussant devant eux, pieds nus, à travers la nuit noire, le long d'un sentier que je n'avais pas encore remarqué, menant à la demeure de sir Harold.

Il s'agit d'une maison au charme désuet, perchée au sommet d'une colline, entourée d'une galerie, agrémentée de pignons, de décorations rococo et de coupoles. L'une des fenêtres de l'étage est éclairée. Le propriétaire des lieux ne tarde pas à ouvrir la porte. Les pieds nus, au-dessus desquels on distingue deux chevilles osseuses et poilues, il porte un épais peignoir de bain bordeaux dont la poche de poitrine s'orne d'armoiries dorées. Il écoute Phil lui rapporter l'incident, hoche la tête, désigne du menton le petit bout de tuyau, qu'il glisse dans l'une de ses poches.

— Elles bavardaient, murmure-t-il. C'est scandaleux. Eh bien, messieurs, la nuit va être longue. Attelez-moi ces vilains poneys à la voiture à deux places. Je reviens tout de suite.

Phil s'en va chercher le véhicule, tandis que Mike nous prépare : harnais, bride, queue, chaussures. La perspective d'une sortie nocturne me tétanise – d'autant plus que je serais surprise que le châtiment s'arrête là. Je n'ose pas regarder Cathy. Elle sanglote en silence, de grosses larmes roulant sur ses joues. À n'en pas douter, elle songe à Madame, qui arrive demain. Madame, à qui sir Harold s'empressera de tout raconter.

Cinq minutes se sont à peine écoulées que, déjà, Mike revient avec la voiture, à laquelle il nous harnache solidement. Puis c'est au tour de sir Harold de dévaler les marches du perron – il a enfilé des chaussettes et des chaussures, sans quitter son ample peignoir de bain. Il tient à la main un long fouet menaçant, dont il fait claquer la lanière au-dessus de nos têtes avant de nous adresser un regard noir. D'une brève traction sur les rênes, il nous enjoint ensuite de filer au triple galop sur le sentier qui, par-delà la crête, s'enfonce dans les bois.

Une heure durant, nous courons ainsi à perdre haleine. Nous gémissons, nous pleurons, nous suffoquons, tandis que le fouet claque ; notre martyre semble ne jamais connaître de fin. De temps à autre, l'une de nous deux glisse — nos perceptions se brouillent dans les ténèbres et certaines portions de la forêt se révèlent si denses que nous n'y distinguons même plus la lune à leur aplomb. À chacun de ces dérapages, l'autre traîne sa malheureuse coéquipière jusqu'à ce qu'elle parvienne à reprendre le rythme effréné de la course. Une fois, nous glissons ensemble. Par chance, à ce moment nous gravissons une pente, sans quoi la voiture nous roulerait dessus — car la fureur et la résolution de sir Harold se révèlent telles que je ne suis pas certaine qu'il aurait actionné le frein pour nous éviter l'accident. Nous chancelons de concert, les coups de fouet s'abattent sur nous sans relâche. Nous repartons. Une dizaine de minutes plus tard, sir Harold nous reconduit au manège, où Frank, Mike, Don et Phil nous attendent à la lueur d'une lanterne Coleman, assis en rang sur la palissade.

— Ramenez-les-moi à la maison dans une heure, commande leur patron, comme Don et Phil se précipitent pour nous déharnacher. D'ici là, elles sont à vous.

Sur quoi, il s'engage d'un pas de grenadier sur le sentier qui grimpe vers sa demeure, les pans de son peignoir flottant dans son sillage.

Les palefreniers nous dépouillent de tous nos accessoires, à l'exception de notre queue, puis nous poussent dans le manège.

— Courez ! lâche Don d'un ton sec en nous assenant une claque violente sur les fesses.

Incapable de distinguer la direction prise par Cathy, je m'élance, pieds nus. Mais déjà, une corde s'enroule autour de moi, qui me jette au sol. Stupéfaite, je lève les yeux : à l'autre bout de la corde se tient Frank, qui vient de me prendre au lasso… Ces quatre garçons, qui ne manquent pas d'adresse, s'amusent, comme lors d'un rodéo, durant une quinzaine de minutes.

Après quoi, visiblement las de leurs petits jeux, ils passent à autre chose.

— Mettez-vous à quatre pattes et regardez-nous ! hurle Mike.

Acculées toutes deux au centre du manège, nous obéissons.

— Vous me dégoûtez ! braille encore le palefrenier.

Je le comprends : nous suons à grosses gouttes, nous sommes couvertes de terre et, sur notre visage, la salive se mêle aux larmes. Quel tableau…

Ses collègues l'approuvent de la tête.

— Si on avait envie de vous baiser, on commencerait par vous décrasser. Mais c'est déjà ce qu'on fait toute la journée. Et notre boulot n'est pas cher payé. Pourtant, on se donne un mal de chien, vous êtes bien placées pour le savoir. Alors ce soir, on n'a pas l'intention de bosser. On préfère regarder.

Tous se taisent, guettant notre réaction. Je regarde Cathy. Cathy me regarde. Malgré nos ecchymoses, notre affliction, malgré notre terreur et notre épuisement, un sourire commun se dessine sur nos lèvres. Au fond, ces garçons ne se montrent pas si méchants.

La punition qu'ils nous ont réservée n'est assurément pas la plus terrible au monde.

— Nous permettez-vous de nous débarbouiller un peu, d'abord ? je demande. Nous pouvons aussi nous laver l'une l'autre.

— Pourquoi pas ? accepte Frank à contrecœur. Mais grouillez-vous.

L'un des employés nous ayant lancé un chiffon, nous nous ruons vers un robinet disposé non loin de la palissade. Nous nous hâtons d'ôter le plus gros de la sueur et des saletés. Puis j'embrasse tendrement Cathy sur la bouche qui, en échange, effleure mes seins. Nous regagnons le centre du manège main dans la main.

Main dans la main. Et les yeux dans les yeux. Nous réfléchissons sur la suite à donner aux événements. Autour de nous, les hommes commencent à s'agiter, mais nous nous accordons le droit de prendre un peu de temps. Enfin, Cathy avance d'un pas pour venir presser son front sur le mien – nous sommes à peu près de la même taille. Le contact de sa poitrine contre la mienne me ravit. Je me frotte au corps de mon amie, du bout de mes seins j'y dessine des motifs. Son corps est doux et ferme. Du grès, me dis-je. Une sculpture esquimaude – mais qui, au fil des minutes, gagne en chaleur, en douceur et en souplesse.

Cathy m'ayant délicatement contrainte à m'agenouiller, je lèche le creux de son ventre, le relief de ses hanches. Je décris de larges cercles avec ma langue, que j'interromps à la lisière de ses poils pubiens – mes seins, eux, plongent entre ses cuisses et j'agrippe son cul à pleines mains.

Enfin, incapable de se retenir un instant de plus, Cathy écrase ma figure contre son entrejambe.

— Quel pied ! laisse échapper l'un des garçons qui, à présent, nous cernent de près.

Peut-être allons-nous, pour une fois, leur apprendre quelque chose. Et si, de temps à autre, ils honoraient une chatte au lieu de se contenter d'une fellation ? Cela ne ferait de mal à personne… Ma langue part en exploration, elle suit le contour des lèvres de Cathy. J'entreprends de suçoter son sexe. Elle gémit. Peu après, je perçois son orgasme – une jouissance aiguë et brève. Trop rapide, me dis-je. Zut. J'ai consacré toute mon attention aux palefreniers ; j'ai négligé ma partenaire. Lorsque mon regard croise le sien, où je m'attends à lire de la déception, je découvre au contraire une formidable intensité. Ses yeux brillent. On croirait un vampire dans l'obscurité…

Mais rien, dans sa personnalité ni la mienne, ne saurait nous pousser à la sauvagerie. Cathy me plaque doucement contre le sol et s'allonge à côté de moi. Elle m'embrasse à pleine bouche, tandis que ses doigts écartent ma vulve et la pénètrent. Ils s'agitent, empoignent, se meuvent à nouveau… Je sens jusqu'au contact de ses articulations ! J'écarquille les yeux pour admirer les siens, teintés de vert et de brun, ainsi que son sourire malicieux. Je me rappelle, la première fois que je l'ai vue, m'être extasiée devant les muscles de ses bras. Si elle ne perdait pas son temps ici, elle ferait une athlète hors pair, me dis-je. Je ne me dis d'ailleurs pas grand-chose d'autre, car Cathy me laisse à peine le loisir de penser : elle me baise, je m'ouvre à elle entièrement, elle me remplit – et jamais encore je n'ai senti avec une telle acuité le gode enfoncé dans mon anus. Je jouis, je jouis à n'en plus finir. Cathy semble ne plus jamais vouloir interrompre sa besogne. Il faudra que je lui présente mes excuses car j'imaginais tout à l'heure – et, assurément, les garçons avec moi – que nous allions leur offrir un spectacle sexy, certes, mais suave en dépit de la poussière dans laquelle nous avions roulé, un spectacle léger à la façon d'un défilé de lingerie féminine… Au lieu de quoi… Arrête, s'il te plaît ! Cathy, splendide Cathy, je t'en supplie… Merci…

Je geins une dernière fois. Puis je l'attire à moi et l'embrasse.

— C'était la première fois, hein ? me susurre-t-elle. Je suis contente que ce soit avec moi.

Mais déjà les quatre garçons se ruent vers elle. Craignant un instant qu'ils abusent d'elle l'un après l'autre, je suis vite rassurée : ils ne s'empressent que pour la féliciter. Comment Cathy peut-elle redouter à ce point la réaction de Madame ? Celle-ci, me dis-je, aura tellement hâte de profiter à nouveau des talents érotiques de sa soumise qu'elle ne se formalisera pas de ses menus écarts de conduite – au diable les petits morceaux de tuyau d'arrosage, quand on dispose d'un tel génie du sexe. Car si Madame se distingue par son élégance et sa cruauté, elle ne doit pas être idiote non plus.

La récréation se termine : Don et Phil s'étant ressaisis, ils nous conduisent maintenant jusqu'à la maison de sir Harold. Ils sonnent puis patientent dans le hall, tandis que leur employeur nous pousse sans ménagement dans un petit bureau. Il nous ordonne de nous agenouiller devant la table, sur un coin de laquelle il se juche avant d'extraire de sa poche le tube de caoutchouc.

— Laquelle de vous deux ? demande-t-il calmement.

À sa mine, je devine qu'il me croit coupable. Après tout, pourquoi pas : Cathy tremble en songeant à Madame, alors que je suis prête à m'attirer les foudres de Jonathan – j'ignore ce qu'il pensera de cet incident, mais tant pis. Je veux bien courir le risque. C'est ainsi que je passe le reste de cette étrange nuit, enveloppée d'une vieille couverture, au fond d'un appentis délabré planté à deux pas du jardin potager. J'essaie en vain de dormir ; au matin, il me faudra tirer la charrue.

Il fait encore nuit lorsque le chant d'un coq me réveille. Je m'étire en gémissant. J'ai mal partout. Vraiment partout – au point que je me demande un moment si Cathy n'a pas réduit mon intimité en miettes. Bah, me dis-je, le jeu en valait la chandelle.

Car j'ai beau souffrir, j'ai beau me sentir sale, j'ai beau m'interroger sur ce que ce jour nouveau me réserve, je suis joyeuse. Quand on a joui comme j'ai joui quelques heures plus tôt, la vie ne peut sembler totalement mauvaise. J'observe la vilaine petite cabane où je suis enfermée, la corde graisseuse et velue qu'on a passée autour de mon cou avant de la nouer à un crochet scellé dans le mur. J'examine la terre sous mes ongles, la poussière sur mon corps, et je secoue la tête : par quel prodige puis-je éprouver un pareil optimisme ? Puis je hausse les épaules, me retourne et m'octroie une demi-heure de sommeil supplémentaire. Un sommeil lourd, profond, sans rêve.

Un sommeil dont, cette fois, on me tire à coups de pied dans les côtes – mon tourmenteur doit néanmoins s'échiner longtemps avant que j'ouvre l'œil.

— Debout, feignasse. Tout de suite !

Feignasse ? D'accord. C'est sans doute de moi qu'il s'agit. Qu'attend-on de moi ? Que je me mette à quatre pattes ? J'ai la tête tellement vide que c'est bien là l'unique position à laquelle je songe. J'ai dû taper dans le mille : les coups cessent aussitôt.

Je lève le regard en direction d'une grosse femme au visage rond. Elle porte un bleu de travail, des bottes épaisses, ainsi qu'un chapeau de soleil à bord souple, et tient dans la main une casserole pleine, me semble-t-il, de détritus. Les restes d'un repas, me dis-je quand elle dépose le récipient devant moi. Plus goûteux que ce qu'on m'a fait ingurgiter jusqu'ici dans mon box. Je renifle : il se cache là-dedans une mince tranche de salami. De pepperoni, plus exactement. Allons, Carrie, ça pourrait être pire.

Ma bonne humeur ne risque-t-elle pas d'indisposer ma geôlière, car elle commence à me porter moi-même sur les nerfs ? Mais la grosse femme ne s'en soucie guère. Elle me donne un peu d'eau, que je lape, puis elle m'ordonne de me lever. Je n'y arrive pas. En tout cas, pas d'un bond. Mes muscles meurtris ne répondent plus, ou alors ils s'obstinent à se replier sottement, comme de vieilles chaises de jardin. Ma gardienne demeure impassible face à mes efforts. Quand enfin je me campe sur mes deux jambes, elle me fait sortir sans un mot de l'appentis, en me tenant par ma longe – elle a récupéré au passage ma bride, mon harnais et ma queue.

Elle me pare comme j'en ai désormais l'habitude (à ceci près qu'aujourd'hui je marche pieds nus), avant de m'atteler à la charrue, qui se dresse non loin, au beau milieu d'un champ à demi labouré. Pas une caresse, pas un mot doux. Rien. Au lieu de quoi elle s'empare des rênes pour m'entraîner d'un pas vif le long des sillons – de loin en loin, elle me cingle au moyen d'une baguette qu'elle tient dans l'autre main.

Ainsi parcourons-nous le lopin dans un sens, puis dans l'autre. Entre-temps, le soleil s'est levé ; je commence à me couvrir de sueur. Il fait chaud, ma tâche se révèle ingrate et ennuyeuse. Dans le fond, il s'agit d'un travail comme un autre. Je ne ressens nullement les petits frissons auxquels je m'attendais, produits par l'avilissement et l'exhibition. Ma déception me permet de comprendre combien je les appelais de mes vœux, ces petits serrements de cœur. Ma gardienne me coule un regard sans pitié. Nous nous situons, peut-être bien, au-delà de l'humiliation : je suis sale, je suis nue, je suis éreintée, mais offerte à la vue de tous et pourtant invisible. Là réside mon véritable châtiment. Je me rappelle Jonathan, m'interrogeant dans son bureau lors de ma première visite : « Tu aimes qu'on te regarde ? » Cela saute-t-il aux yeux à ce point ?…

Je vois des voitures aller et venir près des écuries. Des clients, sans doute, mais de plus nous sommes samedi, et Cathy m'a expliqué que les pensionnaires arrivaient au centre et le quittaient toujours le samedi. De toute évidence, sir Harold a accordé à Jonathan une faveur supplémentaire en m'amenant ici en pleine semaine – sans compter qu'il s'est déplacé jusqu'à la villa pour me récupérer. Qu'ont-ils bien pu vivre autrefois tous les deux pour qu'une pareille amitié les unisse ? Une automobile de luxe se dirige à présent vers la barrière. J'entraperçois le visage ravi de Cathy à la fenêtre ; Madame est au volant. Mais déjà, elles ont disparu, et la grosse femme me frappe pour que j'accélère le pas. Je suis nue. Je suis invisible. Je suis seule.

Le champ que je laboure se révèle aussi nu que moi, bien sûr, puisque je le prépare à accueillir de nouvelles cultures. En revanche, des légumes et des fleurs poussent de l'autre côté d'un chemin, dans une parcelle flanquée d'une serre, dont un couple s'approche pour y acheter des bouquets – la grosse femme qui m'a prise en charge m'abandonne un instant pour les conseiller dans leur choix. Sur ce, les amoureux s'éloignent en bavardant, et je les entends pépier longtemps dans le silence qui règne sur les lieux, tout juste troublé, de-ci de-là, par le grondement d'un moteur ou la gifle de la badine sur mes mollets.

Enfin, les voix s'évanouissent, bientôt remplacées par d'autres que je reconnais à mesure qu'elles se rapprochent. Celle de sir Harold, d'abord (pour autant, je ne distingue pas les paroles qu'il prononce), puis des intonations féminines, dont la mélodie n'est à nulle autre pareille – et bientôt, les mots me parviennent distinctement.

— Je la confierai à l'émir ce soir. C'est la dernière nuit qu'il passe chez nous, et il bave littéralement devant ses photos. Il va adorer les résultats du dressage que vous lui avez fait subir. En revanche, elle n'est pas assez marquée... Non, tu n'y es pour rien, ma chérie. Tu t'es comportée admirablement, comme je t'ai appris à le faire, au point que sir Harold n'a guère trouvé l'occasion de te punir. Mais nous te flagellerons une fois rentrées. Tu verras : les zébrures seront splendides.

Sir Harold et Kate Clarke apparaissent enfin. Entre eux avance Stéphanie, débarrassée de sa bride mais attelée à une petite voiture en osier.

— Oui, Kate, répond joyeusement la jeune fille à mi-voix.

Si on lui oppose ma crasse et ma sueur, le trio semble tout droit surgi d'un autre monde. Coiffée d'un large chapeau de paille, Kate porte une courte robe bain de soleil jaune. Stéphanie, en extase, la mange des yeux, adorable fillette dont la chevelure, divisée en deux longues couettes, balaie ses épaules et ses seins éblouissants. Quant à sir Harold, il s'est affublé d'un ridicule blazer bleu. Baissant les paupières sur mes pieds nus souillés de terre, je voudrais disparaître dans un trou de souris.

J'aurais dû m'en douter. Une esclave aussi belle, aussi parfaite que Stéphanie. Jonathan me l'avait bien dit : « Les exigences de Kate (en matière de soumises) se révèlent presque impossibles à satisfaire. » J'en ai aujourd'hui la preuve sous le nez. Je comprends du même coup que je me suis jusqu'ici contentée de jouer un jeu dont je ne saisissais pas les règles. Des règles rédigées dans un langage aussi impersonnel que complexe. Des équations mathématiques, peut-être. Je sais à présent pourquoi Stéphanie ne s'est jamais souciée de ce qu'elle endurait ici, pourquoi elle ne se préoccupait que de devenir un poney idéal. Pour Kate. Tout son être est tendu vers Kate. Parviendrai-je jamais à être ce genre d'esclave ? Une esclave fervente, pleine d'adoration et dénuée de toute espèce de dérision. En ai-je seulement l'envie ?

Kate vient maintenant à ma rencontre, après avoir envoyé ses deux compagnons chercher des fleurs dans la serre – ma gardienne m'abandonne pour courir les aider. Ma visiteuse chemine avec précaution au milieu des labours – mais comment diable fait-elle pour ne pas salir ses délicieuses sandales ? En revanche, me dis-je, elle ne me touchera pas. Hors de question. Je suis une souillon, je suis méprisable. Et pourtant, je brûle de sentir ses doigts sur ma peau. Si seulement elle daignait avancer la main vers moi…

Elle me sourit avec une lueur de triomphe dans les yeux, qui brille derrière l'expression dure et scrutatrice qui lui est familière. À ma grande surprise, elle s'approche encore et me caresse doucement les seins.

— Tu as fait beaucoup de progrès, Carrie, observe-t-elle. Même si ce n'est pas toi qui as dérobé ce bout de tuyau – et je ne crois pas que tu sois la coupable –, tu méritais ce châtiment. Tu méritais aussi de vivre la semaine que tu viens de vivre. Car le monde est loin de se résumer au joli petit bureau de Jonathan.

J'acquiesce d'un signe de tête, les larmes aux yeux, tandis que des vagues de sensations déferlent de ma poitrine à mes genoux. Le sens de ses paroles, je l'éprouve physiquement plus que je ne le comprends, contemplant en songe un horizon infini de douleur et de défi – des expériences extrêmes, dont je n'imagine pas encore la nature, se déploient devant moi ; si je manifeste assez de courage, me dis-je, il me sera donné de les connaître….

Mais déjà le moment de grâce s'est évanoui. Sir Harold et Stéphanie quittent la serre, la charrette en osier croulant sous les pois de senteur et les mufliers. Kate les rejoint. Tous trois reprennent la direction des écuries. Je retourne à mes labours, hébétée, au point que je remarque à peine, une heure plus tard, la petite Mercedes qui s'éloigne de la propriété. Je garde les yeux rivés sur les aigles qui, tout là-haut, tournoient dans un ciel éblouissant.

Le soir, on me ramène à l'écurie, on me lave, on me couche. Les deux jours suivants s'écoulent sans incident notable. Je respecte la routine éprouvante et simple des poneys, je me plie de bonne grâce aux désirs des clients qui se présentent dans mon box. Sir Harold observe avec étonnement mes manières impeccables, lui qui ne me croyait pas capable de tourner le dos à mes raisonnements intellectuels. C'est que l'étrangeté de ma situation a eu raison de moi. Je ne demanderais pas mieux que de méditer, la mine grave et le sourcil froncé, sur ce qui est en train de m'arriver, mais c'en est trop pour moi. Je renonce. Pour un peu, il me semblerait n'avoir jamais vécu ailleurs que dans une écurie.

Lorsque enfin Jonathan se présente au ranch, je m'avise que c'est à lui que je dois d'être demeurée jusqu'alors aussi cérébrale. Jamais il ne m'a autorisée à m'abandonner entièrement à notre fantasme commun. Il n'est pas le genre de maître que je peux révérer comme Cathy révère Madame, ou comme Stéphanie révère Kate. C'est un maître, oui, mais cette fonction, chez lui, ne va jamais sans une pointe d'ironie et d'autodérision. Jamais je ne peux oublier, par ailleurs, son métier d'architecte, ses projets, ses coups de téléphone – bref, son univers professionnel harassant. Nous avons sans cesse conscience de jouer un double jeu, nous nous situons sans cesse au bord du gouffre. Au-dessus du gouffre, même : on croirait Coyote s'apercevant soudain qu'il poursuit Bip Bip dans le vide, à un mètre ou deux du bord de la falaise. À quinze mètres au-dessus du sol.

Jonathan s'approche et une seule pensée me vient en tête : il m'a manqué. Je ne me suis pas languie de son ton de commandement, que je peux retrouver dans tous les lieux où cette aventure me mène. Ce sont mille petits détails qui m'ont manqué : un sourcil haussé, une grimace railleuse, les poils sur son ventre, les os de son poignet. Certains gestes aussi – la façon dont il agite parfois les mains pour se défendre quand je le prends en flagrant délit de ringardise (après tout, il est plus âgé que moi). Ce qui m'a manqué, ce sont les menues taquineries que nous dissimulons sous nos rituels. Je saisis mieux, à présent, combien, en dépit des rôles attribués à chacun, c'est main dans la main que nous accomplissons nos prouesses. J'ai beau avoir l'impression de tomber chaque jour en chute libre, nous sommes, sous d'autres aspects, des collaborateurs.

Jonathan et sir Harold se plantent à présent devant moi, le second demandant au premier s'il préfère le parcours long ou bien le court, et s'il souhaite me harnacher lui-même. Le choc est rude. Je n'avais pas prévu que Jonathan jouerait les cochers avec moi. Cela dit, quel plus sûr moyen pour lui de mesurer les progrès que j'ai accomplis durant mon séjour ? Néanmoins, il a l'air d'hésiter un peu. Il finit par choisir l'itinéraire court et par m'atteler aussi prestement, aussi étroitement que Don ou Phil peut le faire. Et me voilà partie. Je cours dans les bois avec toute la vitesse et la grâce dont je suis capable. Jonathan use de son fouet avec parcimonie. C'est un excellent conducteur – je le soupçonne d'avoir déjà emprunté ces sentiers forestiers. Il m'entraîne soudain dans un raccourci : notre balade n'aura duré que vingt minutes.

Il me débarrasse de mon harnais, puis de ma bride, il pique un baiser hâtif sur mes lèvres et me bouchonne avec soin, sans prononcer une parole. Je ne suis pas censée ouvrir la bouche, bien sûr, mais j'ai la nette impression que, pour sa part, il ne sait pas quoi dire.

Sir Harold ne tarde pas à nous rejoindre au pas de course, haletant, surpris de nous voir déjà de retour ; il craint qu'un incident ne soit survenu. Jonathan le rassure avec toute la courtoisie qui le caractérise, s'émerveillant au passage sur le travail accompli par son ami sur ma personne. Tout est parfait, insiste-t-il, y compris le déjeuner auquel on l'a convié, mais vous comprenez, sir Harold, la route est longue jusqu'à San Francisco, et j'ai hâte qu'elle retrouve la villa… Sir Harold se contente de lui adresser un clin d'œil.

À ceci près que, pour rentrer, nous prenons en fait le chemin des écoliers : nous faisons halte dans un motel situé à une vingtaine de minutes du ranch. Jonathan sort un collier de sa poche, qu'il passe autour de mon cou. Puis il me baise et me sodomise jusqu'à me laisser percluse de douleur.

— Tu as légèrement bronzé, se contente-t-il de commenter ensuite en contemplant, allongé, appuyé sur un coude, mes contusions et mes zébrures. Je n'aurais pas cru.

Il quitte la chambre un moment pour revenir les bras chargés de hamburgers, de frites et de copieux milk-shakes au chocolat. Nous mangeons dans le lit en regardant la télé. Après l'infâme bouillie pour chats que j'ai ingurgitée ces jours-ci, jamais je ne me suis autant régalée. Jonathan me demande ensuite de lui raconter ma semaine. Je lui sers, pour l'exciter, l'un des récits dont j'ai le secret. Mission accomplie : il finit par se branler à côté de moi.

— Tes histoires m'ont manqué, me glisse-t-il avant d'éteindre la lumière.

Allongée dans le noir, j'écoute sa respiration régulière en me demandant si le « quelqu'un » qui m'achètera bientôt aura un jour envie d'entendre à son tour mes fables.

5

Entracte

Les derniers jours que nous passons à San Francisco se révèlent silencieux, mornes, tout entiers consacrés à notre immuable rituel. J'ignore ce qu'il en serait si je n'avais jamais mis les pieds à la ferme des poneys, mais le fait est que j'y ai séjourné, et les conséquences de ce séjour sautent aux yeux. Je me retrouve au cœur du monde, de ce monde immense évoqué par Kate. Il me semble à présent qu'on m'a seulement prêtée à Jonathan qui, je crois, éprouve la même impression. Ce qui se déroule entre nous devient abstrait, nous évoluons comme dans un rêve. Il travaille quelques heures le matin, ensuite il me convoque, afin que je lui offre mon corps : il l'utilise, il le frappe et le contemple. Après quoi je le remercie. Je reste attentive au moindre de ses désirs, je les devance. On dirait que son inventivité s'est tarie, et je m'étonne désormais d'avoir naguère jugé ses règles si difficiles à suivre. L'après-midi, il se distrait en m'emmenant faire les boutiques, où il m'achète de beaux vêtements hors de prix en prévision de notre voyage, sans jamais se soucier de mon avis – il traite seul avec les vendeuses, un peu gênées ; je n'ouvre pas la bouche, sinon pour répondre « Oui, Jonathan ».

Enfin, nous prenons un vol de nuit pour Paris, que sans cette aventure je n'aurais peut-être jamais eu l'occasion de découvrir. Mais si nous quittons les États-Unis, nous ne sortons pas pour autant de notre drôle de rêve (on dirait que je me déplace au sein d'un cyberespace) – le temps et la géographie se réduisent à un décor sans relief, digne des locaux d'une grande entreprise. Nous voyageons en première classe, ce qui ne m'est encore jamais arrivé. Je m'empiffrerais volontiers de mets délicats arrosés de champagne, mais Jonathan refuse, décrétant que, sinon, le décalage horaire me paraîtra d'autant plus pénible. Il m'oblige à avaler un anxiolytique avec un grand verre d'eau. Résultat, je dors durant presque tout le trajet, la tête sur son épaule. Une grosse voiture aux vitres teintées nous attend à l'aéroport, pour nous emmener à l'hôtel. Nous nous y accordons quelques heures de sommeil supplémentaire puis, le lendemain matin, nous nous rendons aux épreuves de sélection.

Car la participation aux enchères ne va pas de soi. Il convient d'abord de se présenter devant un jury d'examinateurs. Le mien se compose de trois hommes et d'une femme, qui tous quatre vont droit au but à la manière de Kate Clarke. Aucun ne possède le moindre sens de l'humour. Je me déshabille face à eux, remettant un à un mes vêtements à une domestique qui, à son tour, les confie à Jonathan. Du fait que mes mains tremblent, quelques boutons et agrafes me donnent un peu de fil à retordre.

Ces épreuves durent entre trois et cinq jours – on ne sait qu'elles sont terminées que lorsqu'on vous l'annonce. Les jurés se tiennent assis derrière une grande table marquetée, dans un luxueux appartement situé dans un immeuble du XIXe siècle. Au terme des vingt-quatre heures irréelles que je viens de vivre, c'est comme si Dorothy quittait son Kansas natal en noir et blanc pour les couleurs du pays d'Oz. Meubles anciens de style français, miroirs, tableaux, parquet (sur lequel, naturellement, je passe le plus clair de mon temps) – Jonathan, assis sur une chaise tendue de soie, m'observe en fumant. Je me fais à nouveau l'effet d'une marionnette. Ce n'est pas si différent de la ferme des poneys, me dis-je, il suffit de faire attention. De faire tellement attention que je finis par me perdre au cœur d'une multitude de sensations. Et là, enfin, je me détends, m'avisant qu'il ne m'est besoin, pour retenir mes larmes, que de me concentrer sur la voix de mes examinateurs et leur impeccable cruauté. Sans doute me jugent-ils fruste et insignifiante. Pour ma part, je les adore.

Le premier jour, une quadragénaire très chic m'empoigne un sein.

— Nous avons tous la ferme intention de t'utiliser au cours de ces épreuves, mais, d'abord, nous tenons à évaluer ton degré d'obéissance et ton sens de l'autodiscipline. As-tu l'habitude d'être entravée ?

— Oui, madame Roget.

Les jurés gloussent discrètement – Mme Roget m'explique qu'ici on ne croit guère aux vertus de ce genre d'attirail.

— Nous ne tenons pas à abîmer ces superbes boiseries avec les crochets et autres œillets dont tu m'as l'air familière. Tu feras tout ce que nous t'ordonnerons de faire. Tu seras battue, et tu supporteras dignement les coups. Tu ne porteras ni collier ni poignets de cuir, tu ne seras pas attachée.

J'avale ma salive avec difficulté.

— Oui, madame Roget.

J'acquiesce, mais l'idée de n'être pas entravée lorsqu'on me frappera me terrorise. (Je regrette de ne pouvoir au moins faire usage de l'une ou l'autre des breloques suspendues à son tailleur Chanel !)

Quelle journée. Je suis loin d'atteindre la perfection – par deux fois au moins, je plaque mes mains sur mes seins pour les protéger. Car Jonathan, hélas, n'a pas songé, lors de mon dressage, que tout le monde ne nourrissait pas la même passion que lui pour les carcans en tout genre. Je crois d'ailleurs que c'est précisément sa négligence qui me permet de tenir le coup. Car je lui en veux tellement que je m'accroche, résolue à briller malgré lui. De loin en loin, je l'observe à la dérobée, installé sur sa belle petite chaise. Il m'évoque soudain l'entraîneur de l'équipe américaine de gymnastique féminine qui, lors d'une édition des jeux Olympiques, est apparu flanqué de malheureuses petites bonnes femmes d'un mètre quarante aux yeux remplis d'effroi, que les Russes et les Roumaines ont balayées d'un revers de main.

Je me tiens maintenant à genoux au centre de la pièce. Je viens de remercier les jurés un à un, d'une voix claire et douce – quoique un peu altérée par les coups qui ont plu sur ma poitrine et mes cuisses. (J'ai remercié en français : ici, on est tenu de s'exprimer en français.) Personne n'a brandi de plaquette frappée d'une note sanctionnant ma performance. Au contraire : mes juges n'ont pour ainsi dire pas réagi. Mais, soudain, Mme Roget se tourne vers Jonathan.

— Nous reprendrons demain à 10 heures.

— Merci, madame, répond Jonathan en se levant d'un bond avant de m'aider à me remettre debout. Nous serons là. Merci à tous.

Il s'exprime sur le ton du petit garçon bien élevé qu'il a dû être. Je comprends alors qu'une part de son plaisir (et du mien) tient au fait qu'il se retrouve sur la sellette autant que moi.

À peine avons-nous refermé la porte de notre chambre d'hôtel qu'il me jette à la renverse sur le lit – ce dont il n'est pas coutumier – pour relever prestement ma jupe et me baiser. Mes souliers volent. L'une de mes jarretelles, dont la pince a sauté, me meurtrit la cuisse. Contre mon sexe, mon ventre, mes jambes, je sens la fermeture éclair de son pantalon, ainsi que mille boucles et boutons pressant douloureusement ma chair ou ma peau. Je maudis mon inconfort, ma maladresse, le ridicule de ma situation. Pourtant, me dis-je, c'est exactement ce dont j'avais besoin. Cette longue journée d'épreuves, à l'érotisme ritualisé à l'extrême, cette longue journée placée sous le signe de la déférence, de la subtilité, de la souffrance et du spectacle nous laisse, Jonathan et moi, dans un tel état que nous ne souhaitons l'un et l'autre qu'une chose : nous envoyer en l'air. Jusqu'à épuisement. Comme des gens ordinaires. À grands coups de boutoir. Je ferme les paupières, je jouis abondamment, je hurle, libre de mes mouvements. J'oublie quelques instants qu'ailleurs il existe des règles, des formalités à respecter. J'oublie quelques instants toute notion de sensibilité.

Mais on n'oublie pas une année d'esclavage d'un simple claquement de doigts : après avoir un peu récupéré, je rejoins à quatre pattes le bout du lit, où je m'agenouille, au garde-à-vous (mais que faire de ma jupe remontée jusqu'à la taille, ou de mes bas, tirebouchonnant sur mes chevilles ?). Jonathan me contemple un moment avant de froncer les sourcils.

— Je n'ai pas le courage d'appliquer nos règles ce soir, Carrie, soupire-t-il. Pas après avoir passé la journée à observer ces pros de la contrainte. Prenons une douche et flemmardons au lit. Tu as faim ? Veux-tu que j'appelle le service d'étage ?

Les trois soirs suivants se déroulent selon un schéma identique. Nous rentrons des épreuves, nous nous déshabillons, nous baisons jusqu'à plus soif puis nous dînons. Le deuxième jour, durant une pause entre les épreuves, Jonathan s'éclipse pour dénicher une librairie anglophone, dont il revient avec un plein sac de romans à suspense et de science-fiction. Nous ne respectons plus la moindre règle, ce qui signifie, notamment, que nous pouvons dire ce que bon nous semble. À ceci près que nous craignons de parler à tort et à travers ou de mettre l'autre mal à l'aise en abordant des sujets embarrassants. C'est du moins ce que moi, je redoute. Nos lectures comblent donc ces étranges soirées de compagnonnage exténué et courtois. Nous plongeons dans les livres, nous les dévorons, nous nous les recommandons mutuellement en quelques phrases – à moins que l'un ou l'autre en jette un à travers la pièce en décrétant qu'il avait deviné l'identité du coupable dès la moitié du bouquin.

Le quatrième soir, un récit se déroulant dans le milieu du rock me remémore mon T-shirt Primus, que j'ai fourré dans mon sac en partant – si je réussis les épreuves préliminaires, me dis-je, je l'offrirai à Jonathan en guise de cadeau d'adieu. Une curieuse intimité s'est peu à peu instaurée entre nous, même si nous n'avons dû, en un an et demi, tenir que quatre vraies conversations. Je le remercie en silence. Merci, Jonathan. Salut et merci pour cette aventure. Salut, collègue. Mon collaborateur. Mon complice.

On frappe à la porte. Jonathan se lève pour ouvrir. Deux hommes se présentent : costume, cheveux en brosse courte. On croirait des flics échappés de la série télé *Nikita*. Membres du comité d'enchères, ils sont en fait venus lui annoncer que j'ai triomphé des épreuves éliminatoires.

— Je faxe les documents dans moins d'une heure, leur assure Jonathan. Et je vais vous la chercher.

J'ignorais que l'on pouvait venir ainsi pour moi au beau milieu de la nuit. Jonathan le savait-il, lui ? Il s'approche du lit, sur lequel je suis vautrée en peignoir de bain (je porte aussi l'une de ses paires de chaussettes), et me tend la main pour que je me lève.

— Tu as été sélectionnée, m'annonce-t-il. Tu n'as plus le droit d'ouvrir la bouche.

C'est raté pour le T-shirt. Raté pour les adieux.

— Déshabille-toi, poursuit-il d'une voix dénuée d'expression. Tu vas suivre ces messieurs.

Ceux-ci se tiennent toujours à la porte, impassibles. Pour un peu, je les plaindrais : voilà sans doute la scène maître/esclave la plus insipide à laquelle il leur ait jamais été donné d'assister. Je retire le peignoir et les chaussettes, dépose mes lunettes sur le livre ouvert et me dirige vers les deux visiteurs. Ils me remettent une paire de chaussures à hauts talons, ainsi qu'un trench-coat, qu'ils m'aident à enfiler. Après quoi, en silence, ils me poussent hors de la chambre, dont ils referment la porte derrière eux.

6

De longs couloirs

Nous suivons jusqu'à l'ascenseur le long couloir aseptisé de l'hôtel – c'est un établissement où l'on descend pour affaires plutôt que par plaisir. Nous traversons le hall. L'un des deux hommes (celui qui, pour l'heure, est resté muet) a refermé ses doigts sur mon avant-bras. J'ai peur. Après tout, je suis dans un pays étranger, sans passeport ni argent, en route pour une destination inconnue sous l'escorte de deux porte-flingue impeccablement vêtus. De quoi ai-je peur, au fond ? D'appartenir à un réseau d'esclaves ? Voyons, Carrie, pardon de t'en informer aussi tard, mais… c'est précisément de cela qu'il s'agit. À moins que je n'aie plongé au cœur d'une affaire d'espionnage telle que je viens d'en lire dans les romans achetés ces jours-ci par Jonathan. Peu probable. Mais peut-être, me dis-je encore, que si les jeux sexuels sont on ne peut plus réels, les histoires d'argent, elles, ne constituent qu'une vaste escroquerie. Voilà qui a de quoi m'effrayer. Quant au spectacle que nous offrons, mes gardes du corps et moi, il me paraît évident aux yeux des observateurs éventuels : deux flics en civil flanquant la prostituée qu'ils viennent d'appréhender dans un hôtel chic.

Une voiture noire, au volant de laquelle est assis un troisième larron, nous attend dans une rue toute proche. Nous montons à l'arrière – pourquoi diable cela me rassure-t-il un peu ? Mes deux accompagnateurs me poussent sur le plancher et m'ordonnent de les sucer l'un et l'autre, après quoi ils plaisantent entre eux en fumant des gauloises dont ils m'autorisent de temps à autre à tirer une bouffée. Je ne comprends pas leur langue, mais je crois saisir qu'ils apprécient ma coupe de cheveux ; ils me caressent la tête, tirent sur les poils de mon pubis – sans doute (ils ne sont pas très subtils) s'amusent-ils de ce que ces derniers soient plus longs que ma tignasse rase. Ils s'intéressent aussi aux marques sur mon cul, qu'ils examinent d'un œil presque clinique. Je suppose qu'ils en voient souvent – peut-être leur accordent-ils des notes en secret, peut-être établissent-ils des comparaisons de l'un à l'autre. Au bout d'un moment, leur attention s'émousse. Ils parlent de sport, je crois, ou d'impôts. De braves crétins, pensé-je, probablement avec épouse et enfants. Leur médiocrité m'apaise.

La voiture s'immobilise devant un grand édifice ancien, peu élevé, un bâtiment officiel, on dirait, bordé par une allée semi-circulaire. Je songe à un commissariat. Et s'il s'agissait d'un coup monté par la police ? Dans ce cas, les porte-flingue seraient des agents doubles chargés de démanteler le fameux réseau d'esclaves auquel j'appartiens (et dont je m'étonne au passage que les autorités n'aient jamais eu vent) ? Je n'avais pourtant pas l'impression, jusqu'alors, de courir de grands dangers…

Nous gravissons une volée de marches basses. Silence. Je crois entrapercevoir un parc à l'arrière de la bâtisse – nous avons quitté la ville, je ne m'en avise que maintenant. La nuit est brumeuse, et les réverbères diffusent, en halos, des dégradés de lumière gris pâle. L'un des types ayant appuyé sur le bouton d'un interphone, un agent de sécurité se présente, ouvre la porte et nous introduit dans le vestibule. Marbre au sol, bureau de la réception, quelques meubles, des tableaux aux tons ténébreux accrochés aux murs. Celui qui parle anglais m'installe dans un coin en m'indiquant d'ôter mon trench et mes chaussures, puis de les lui remettre. À la ceinture du vigile pend un court fouet à lanières. Nous ne sommes donc pas dans un commissariat. L'homme s'approche du fax, dont il extrait un feuillet, qu'il compare aux documents produits par les porte-flingue avant de les signer. Ceux-ci apposent leur signature à leur tour puis, satisfaits, quittent ensemble les lieux.

L'agent de sécurité (si c'en est un) vient vers moi. Il me pince et me gifle à plusieurs reprises. Il effleure mes seins avec les lanières de son fouet, presse négligemment l'extrémité du manche contre mon vagin.

Je ne cille pour ainsi dire pas – je me contente de trembler un peu. Le marbre est froid sous mes pieds, le silence règne sur les lieux. Enfin, le vigile s'éloigne en soupirant pour regagner son bureau, où il agrafe l'ensemble des documents. Il les glisse dans une chemise. Il décroche le téléphone, compose un numéro de poste, prononce quelques mots à voix basse puis raccroche. Guère plus de dix-huit ans, selon mes estimations. Brun de cheveux, il possède de larges épaules, un front proéminent. Il est trapu. Récemment encore, me dis-je, son visage devait se couvrir de boutons d'acné.

À demi juché sur un coin du bureau, il me fait maintenant signe d'approcher puis, d'un geste du menton, me montre le sol à ses pieds. Mal assurée, je m'agenouille sans le lâcher du regard. Il fait jaillir de sa poche une petite balle en caoutchouc, qu'il lance à l'autre bout de la pièce. À quatre pattes, j'attends qu'il me fouette légèrement les fesses pour aller chercher l'objet et le lui rapporter entre mes dents. S'étant emparé de la balle, il me gifle puis la lance à nouveau. J'ai compris : je n'ai pas fait assez vite à son goût. Je dois m'y reprendre à six ou sept reprises pour le satisfaire enfin. Dès lors, il accroît la difficulté. D'une des nombreuses poches qui ornent son pantalon kaki, il extrait maintenant une ficelle sur laquelle on a enfilé cinq ou six petites boules métalliques – on dirait ces colliers en plastique que j'aimais porter dans mon enfance. Le diamètre de chaque boule correspond à peu près à celui d'une balle de ping-pong. Il en introduit une dans mon anus. Un coup de fouet, et le jeu reprend. Je me hâte en tâchant de ne pas perdre l'espèce de vilaine petite queue dont je me trouve affublée. Le garçon s'amuse beaucoup mais, par bonheur, comme il m'enfonce une deuxième boule dans l'anus, une femme entre dans la pièce. Il se redresse d'un bond, au garde-à-vous, et me relève prestement du même coup en m'extirpant sans précaution son jouet du derrière.

La femme, grande et grave, est vêtue d'un pull noir et d'un pantalon de cuir. Elle sourit au vigile, avec lequel elle échange quelques mots – à nouveau dans une langue que je ne comprends pas. Elle transporte un petit ordinateur noir, et un fouet identique à celui de l'agent de sécurité pend aussi à sa ceinture. Elle m'observe un instant avant de se diriger vers une commode. Elle en sort un collier et des poignets de cuir, dont elle m'affuble sans perdre de temps, m'attachant les mains derrière la nuque. Enfin, ayant adressé un signe de tête au vigile affalé dans un fauteuil à l'autre bout de la pièce, elle vient s'asseoir au bureau, où elle feuillette les papiers que le jeune homme a rangés plus tôt dans la chemise. Elle ouvre son ordinateur portable et se met à pianoter.

Elle est splendide. À peine trente ans. Chevelure épaisse à longueur d'épaules, lèvres charnues, pommettes roses, épaules larges, hanches étroites. Elle décroche le téléphone et compose un numéro de poste.

— Paul ? Ici Margot. Ils viennent d'amener le lot 14. On s'en occupe tout de suite ?

Une pause.

— Très bien, parfait. Je pense, oui. Non, tu as forcément le dossier. Attends… Oui, Carrie Richardson. Tu vois que tu l'as, ce dossier.

J'aurais préféré qu'on m'attribue le lot 49[1], mais je ne suis guère en position d'exiger quoi que ce soit. Quelques instants plus tard, un homme – Paul, probablement – fait son apparition. C'est un garçon nerveux et mince, aux cheveux blonds hérissés en épis, au nez chaussé de grosses lunettes. Un fouet pend également à la ceinture de son jean ; il porte aux pieds des Doc Martens. Il promène sous son bras un épais classeur fatigué. Soudain, la pièce semble s'animer.

— Jetons-y un coup d'œil, décrète-t-il. Viens ici, Carrie.

Comme je m'approche, il saisit l'anneau fixé à l'avant de mon collier.

— Allons, allons, insiste-t-il en m'entraînant à petits coups de fouet sur les mollets. Penche-toi sur le bureau.

Ses deux acolytes s'inclinent à leur tour pour m'examiner.

— Quelques traces, observe la femme. Qu'en penses-tu ?

---

1. Allusion au roman de Thomas Pynchon, *Vente à la criée du lot 49.*

— Insuffisant. Il en faut un peu plus. Tout se jouera à ce niveau sur les photographies. Mais on ne doit pas avoir la main trop lourde. Tu sais comment ils réagissent quand on leur présente une marchandise trop marquée. L'opération est délicate : il faut qu'elle soit assez marquée pour les clichés du catalogue, mais ces meurtrissures doivent s'estomper d'ici la vente aux enchères proprement dite. Avant de l'emmener, nous pourrions la fesser. Ce pourrait être très efficace, elle aurait les fesses toutes roses.

— Pourquoi pas ? approuve la femme en enfonçant doucement un doigt dans mon anus. Voyons ce que ça donne.

Elle s'assied sur le bureau, à côté de moi.

— Couche-toi sur mes genoux, Carrie.

J'hésite un instant. On m'a certes déjà fessée chez Jonathan, mais pas souvent. Je suis plus habituée au fouet, à la canne de jonc, à la ceinture – et, partant, à la distance nécessaire entre mon tourmenteur et moi. Recevoir la fessée ainsi allongée, nue, sur les cuisses de cette femme, me fait atteindre un degré d'intimité que je juge humiliant. Je me décide enfin, mais elle a noté mon bref embarras.

Je m'installe sur ses genoux avec une pointe de réticence. Elle a de la poigne et me met en position sans ménagement.

— Paul, lâche-t-elle sur un ton excédé. Tu as vu ça ? Notre petite prima donna n'a pas envie de recevoir sa correction. Ils en font, des chichis, nos petits lots. Ces jeunes gens s'imaginent que, sous prétexte que nous ne sommes ni leurs vendeurs ni leurs acheteurs, ils n'ont pas besoin de nous obéir. Nous réglerons cette histoire demain.

Même s'il ne m'est pas permis de parler, je lui présente mes excuses, mais elle ne les écoute pas. Déjà, elle a commencé à me frapper. Elle me fesse avec force et régularité. Ses mains me paraissent énormes. Elle ne se soucie nullement de mes réactions. Une seule chose l'intéresse : que mon cul vire au rose vif le plus rapidement possible. La torture me semble interminable. Je verse de nombreuses larmes. Je crie. La vente à la criée du lot 14, me dis-je – toujours avide d'un jeu de mots, quelles que soient les circonstances… Paul, qui observe la scène, roule un mouchoir en boule, qu'il me fourre dans la bouche en guise de bâillon.

— Merci, lui dit la femme. Elle braillait tellement que je n'arrivais plus à réfléchir. Qu'en penses-tu ?

Les coups continuent de pleuvoir.

— C'est bien, Margot, c'est même très bien. Encore cinq fessées ?

— Sept.

Sept interminables fessées. J'ai l'impression qu'on a passé mon cul à la poêle. Il brûle. On l'a cuit à la vapeur, on l'a posé sur un gril… Il se réduit à un morceau de chair tendre et douloureux. Qu'on l'enduise de beurre, et le beurre fondra – pour un peu, je l'entendrais grésiller.

— Ça y est, lâche enfin ma tortionnaire. Y a-t-il une possibilité, selon toi ?

Paul me saisit par les épaules pour me remettre debout. Le mouchoir toujours dans la bouche, je continue de sangloter, je renifle un peu.

— Pas mal du tout, souffle-t-il en me débarrassant de mon bâillon de fortune. Nous avons réussi. Je vais veiller à ce qu'on suive les instructions de George. J'ajouterai un bâillon à son matériel. D'accord ?

— Tout à fait. De quoi faire grimper d'emblée la mise à prix de 5 000 dollars. Je l'ai inscrite pour les séances d'exercice et d'épilation, ainsi que pour le pesage et les mensurations. Aucune allergie, régime alimentaire normal. Il apparaît en outre, à la lecture de son dossier, qu'elle donnera le meilleur d'elle-même dans les pires situations. Je l'ai donc classée au niveau II +. Nous la prendrons en photo demain matin. Peux-tu venir la fouetter vers 10 heures ? À moins que tu sois déjà pris ?

— Je vais décaler quelques rendez-vous.

— Formidable. Est-ce que j'ai oublié quelque chose ? On gagne toujours à vérifier deux fois.

Paul pianote sur le clavier de l'ordinateur puis se tourne vers sa coéquipière.

— Je pense que tout y est. Rentre simplement sa punition pour demain.

La femme s'installe devant le portable, presse quelques touches.

— L'opération engendre quelques modifications dans la base de données, mais ça devrait fonctionner. J'ai réussi à réparer le bug concernant le niveau II.

Il ne me reste plus qu'à lui lire ses droits avant de l'expédier au lit. À genoux, Carrie. Au garde-à-vous devant moi.

Je me dépêche en m'efforçant de lui présenter des traits gracieux et dociles. Je la regarde dans les yeux.

— Je suis sûre, commence-t-elle, qu'il m'est inutile de te préciser que, quand je parle de te « lire tes droits », il ne s'agit que d'une plaisanterie, une manière amusante de désigner le petit topo que je m'apprête à te servir. Parce que si tu t'imagines posséder ici le moindre droit, c'est que quelqu'un a commis une terrible erreur en t'introduisant dans notre univers. Mais je crois que tu comprends parfaitement de quoi il retourne…

Elle s'interrompt un moment avant d'enchaîner.

— Pour le moment, je t'appelle par ton prénom, parce que tu y es habituée, et parce que c'est plus commode pour tout le monde. Mais maintenant que tu as pénétré au sein de notre système, tu n'as plus besoin de prénom. « Esclave » conviendra mieux, désormais. Nous nous trouvons ici dans un lieu qui tient à la fois du magasin, du centre de traitement des produits et de la vitrine. Ici, nous veillons sur les marchandises qui seront mises aux enchères vendredi. Nous prenons grand soin de vous tous – certains coûtent des sommes folles –, nous privilégions l'emballage et la présentation, afin de séduire au mieux les acheteurs potentiels. Mais nous avons aussi la charge de votre esprit, un esprit réclamant qu'on le maltraite et qu'on le méprise.

« Car si, à de rares exceptions près, vous vous considérez comme des esclaves, vous ne possédez pourtant pas la plus petite notion de ce que ce concept recouvre. Toi, par exemple, tu t'es placée une année durant au service d'un seul homme. Oh, je sais que tu as participé de loin en loin à de petites sauteries organisées par ses soins, mais il n'y avait rien là que de très ordinaire. Tu as également séjourné à la ferme des poneys, ce qui constitue certes une bonne expérience, mais une expérience limitée. Pour tout dire, pendant un an tu as eu un amant, un *petit ami* (elle prononce ces deux mots sur un ton de profond dédain), en aucun cas un maître, quelle que soit la manière dont il a organisé vos activités. Son existence s'est mise à tourner autour de toi comme il a exigé que la tienne tourne autour de lui. Cela ne constitue pas pour nous un exercice susceptible d'évaluer ta capacité à l'obéissance.

« Tu ne vas séjourner ici que cinq jours, mais nous estimons que ces cinq jours te seront profitables. Tu constateras qu'ici personne ne se soucie de ces petits détails qui constituent ta personnalité, de ces mille et un traits qui te distinguent des autres. À nos yeux – nos yeux à tous –, tu n'es qu'une marchandise qu'on s'apprête à vendre pour une somme importante. Notre tâche consiste à te permettre de franchir une à une les diverses étapes de notre système. Le système. Ton maître, c'est lui. Et nous, qui administrons ce système, représentons tes maîtres et maîtresses de chair et d'os.

211

« Lorsque je dis "nous", je veux dire Paul et moi, bien sûr, mais également Karl, là-bas, ainsi que l'ensemble du personnel de cette maison – cuisiniers, gardiens, éboueurs, etc. À tous, tu t'adresseras en les nommant maître ou maîtresse. Nous t'indiquerons les circonstances dans lesquelles il te sera permis de parler. Attention : veille à bien saisir nos souhaits. Et que ton corps demeure aussi ouvert, aussi disponible que possible. J'aime la manière dont la cambrure de tes reins vient mettre tes seins en valeur, mais tu colles trop tes jambes l'une contre l'autre, tu dissimules ton pubis. Voilà, c'est mieux. Et lève le menton, tout en gardant les yeux baissés. Tu n'es pas autorisée à nous regarder en face. Si cela peut t'aider, concentre-toi sur le fouet que nous portons tous à la ceinture. La plupart du temps, tu auras les mains liées, mais si elles ne le sont pas, rappelle-toi qu'il t'est interdit de te toucher. Je pense t'avoir tout expliqué. Nous pourvoirons à l'ensemble de tes besoins lors de ton bref séjour parmi nous. Tu en apprendras davantage en temps et en heure. Que dis-tu, esclave ?

— Oui, maîtresse, je parviens à articuler. Merci, maîtresse.

— Je te rends à maître Karl, m'annonce-t-elle en se levant. Il va t'emmener te coucher. Paul et moi te reverrons demain pour la flagellation, les photos et ta punition.

— Merci, maîtresse, je répète.

Paul pousse ma hanche du bout d'une de ses Doc Martens.

— Merci, maître.

Après quoi ils quittent la pièce. Je demeure à genoux, les yeux rivés sur le sol. Éreintée par cette longue journée, je n'ai pas réussi à enregistrer tout ce que Margot m'a exposé, mais je sais que les quelques jours qui m'attendent avant les enchères ne ressembleront à rien de ce que j'ai connu jusqu'alors. Je me sens perdue. À la fois craintive et surexcitée à la perspective des expériences inédites qui se profilent. Je veux me perdre plus encore, plonger au cœur du vertigineux tourbillon que Margot vient d'ouvrir sous mes pieds… C'est alors que je détecte la présence de maître Karl, dressé au-dessus de moi.

Génial. On m'a donc réservé cet adolescent lourdaud. Peut-être bien le type le moins séduisant qu'il m'ait été donné de côtoyer. Je n'ignore pas que ces choix résultent d'un savant calcul, mais je suis fatiguée.

— Lèche mes bottes, réussit-il à cracher dans l'anglais minimal qu'il semble connaître.

— Oui, maître, je murmure.

Je m'exécute. Il gémit, visiblement tourneboulé – j'en viens à espérer que sa jeunesse aura raison de lui et qu'il éjaculera sous peu dans son pantalon. Parce que, sinon…

Il n'éjacule pas. Je ne suis pas au bout de mes peines. Il me remet debout en me tirant par mon collier avant de m'obliger à me pencher sur le bureau.

J'entends glisser la fermeture éclair de sa braguette. Je me prépare à d'atroces souffrances. Calme-toi, Carrie. Ouvre-toi. Tu en es parfaitement capable… esclave. La voix de Margot résonne à l'intérieur de ma tête. Je me remémore sa leçon. Je gamberge. C'est le système, me dis-je. Le système est ton maître. Karl fourre sa queue dans mon anus, tandis que je continue de songer au système, au système, au vaste système, à la structure idéale du système. J'abandonne le jeune homme à ses coups de boutoir pour me concentrer sur les intonations de Margot, je distingue à présent sa bouche, que je me réjouis d'avoir eu le temps d'admirer avant qu'elle m'interdise de la regarder en face. Je pleure et je hurle maintenant, mais sans cesser de voir Margot – ses hanches moulées dans le pantalon de cuir, ses mains courant sur le clavier. C'est elle, me dis-je encore, qui a conçu cet abominable et merveilleux système. Ces trésors de douleur et d'avilissement, elle ne les a créés que pour moi.

Karl lâche un cri avant de s'affaler sur moi. Je sens la taille de son sexe diminuer à l'intérieur de moi, cependant que les mille et un boutons et boucles de son accoutrement paramilitaire me meurtrissent le dos et les jambes. Je pleure, je ne cesse plus de pleurer, mais c'est en partie le soulagement de savoir cette épreuve terminée qui me tire des larmes. J'ai réussi. Mais je n'éprouve finalement que de l'indignation : ce pauvre type m'a violée, rien de plus. Qu'il ne compte pas sur moi pour lui manifester le moindre respect. Pour l'humiliation qu'il pense peut-être m'avoir fait subir, il peut aussi repasser. Ce sont les fantasmes que j'ai patiemment élaborés autour de Margot qui m'ont permis de tenir la distance. Margot et son système. J'ai triché, Karl. Tu n'auras qu'à me traîner devant les tribunaux.

L'adolescent me remet debout sans ménagement pour me jeter aussitôt à genoux. Je suis contente de devoir garder les yeux baissés : je ne veux pas lire l'air de satisfaction imbécile qui doit en cet instant se peindre sur ses traits. Il détache mes mains afin que je puisse renfourner sa queue dans son pantalon, puis remonter la fermeture éclair. M'ayant ordonné de me lever à nouveau, il me pousse devant lui. Une porte s'ouvre sur un couloir dans lequel nous nous engageons. Quelques portes plus loin, il m'arrête, d'une main posée sur mon épaule. Il pénètre dans une petite cuisine dont il ressort une minute plus tard avec un verre de lait. De lait chaud. Qui, je l'espère, m'aidera à m'endormir – pourvu qu'on y ait ajouté un sédatif. Karl sur les talons, je parcours encore plusieurs couloirs, pour atteindre enfin une pièce blanche, meublée d'un lit de fer peint en blanc. À un anneau fixé au mur pend une chaîne. Karl me désigne le matelas du menton. Je m'y allonge sur le flanc. Il passe la chaîne dans l'anneau que je porte à l'avant de mon collier, auquel il attache aussi mes poignets de cuir (sans m'entraver trop étroitement). Enfin, il étend sur moi une couverture légère. J'adopte la position la plus confortable possible, peinant à sentir (le lait devait bel et bien contenir des barbituriques) que le sommeil me gagne, et ainsi je m'endors dans la posture adoptée par O lors de sa première nuit à Roissy, sur l'illustration de Guido Crepax.

Le lendemain, c'est un soleil froid ruisselant dans la chambre qui m'éveille. Les rideaux de gaze tirés devant la fenêtre s'agitent mollement sous l'effet d'une brise fraîche. Il me faut une minute ou deux pour me rappeler où je suis. J'hésite à m'étirer, mais je m'avise bientôt que la chaîne est assez longue pour me permettre de m'asseoir sur le lit, voire de me tenir debout à côté de lui. Je me sens bien, sinon que j'ai très faim et très envie d'uriner. Mes idées sont claires – si on a drogué mon lait, comme je le pense, on a établi le dosage idéal. Je me rappelle que l'un des documents que j'ai signés – cela me semble si loin déjà – autorise mon médecin (celui de Jonathan) à révéler à ces gens tout ce qui concerne mon état de santé, ou peu s'en faut. Je songe à l'épais dossier avec lequel Paul s'est présenté hier soir. Que savent-ils au juste de moi ? Tout, peut-être. Je me lève et m'étire de mon mieux. Aujourd'hui, tout peut arriver.

S'il est une chose dont je suis sûre pour le moment, c'est que je m'apprête à recevoir le fouet. À 10 heures, a annoncé Margot. Plus exactement, elle a mentionné une flagellation *et* un châtiment. Il ne me reste plus qu'à espérer l'avoir mal comprise : pourvu que la punition promise et les coups de fouet ne fassent qu'un. Quelle heure peut-il être ? Rien, dans la chambre, ne me permet de le savoir, mais le soleil, déjà haut dans le ciel, m'invite à penser que le moment fatidique approche.

Soudain, j'entends tourner la poignée de la porte, qui s'ouvre sur une jeune femme svelte en tenue de domestique, d'infirmière ou de bonne sœur. Je me hâte de baisser les yeux, mais je lui devine un joli visage empreint de douceur. Elle peut avoir mon âge. Elle porte une coiffe et un uniforme blancs aux lignes simples, ainsi qu'un grand tablier blanc dont l'une des poches contient le fouet réglementaire – dont je vois dépasser le manche. La jeune fille tient entre ses mains un pot de chambre en porcelaine blanche. Une serviette est pliée sur son avant-bras. Ayant déposé le vase de nuit entre mes jambes, elle le désigne de l'index. Je m'accroupis pour pisser, après quoi elle m'essuie très doucement au moyen de la serviette, une serviette chaude et légèrement humide. Elle s'éclipse sitôt sa besogne accomplie, pour revenir quelques minutes plus tard, munie cette fois d'une casserole contenant du porridge, me semble-t-il, d'une soucoupe pleine d'eau et d'une serviette propre. Elle pose le tout sur une table basse, dans un coin de la chambre. Ensuite, elle me débarrasse de ma chaîne et m'attache les mains dans le dos.

Elle me montre la table. J'en déduis qu'il me faut à présent me mettre à quatre pattes pour prendre mon repas et me désaltérer. Pour insipide et bourrative qu'elle me paraisse, la nourriture n'est pas mauvaise. D'ailleurs, on ne devient pas une esclave sexuelle par amour de la grande cuisine, et j'ai au moins la satisfaction d'ingurgiter un aliment pour les humains – du riz soufflé, en l'occurrence. Je parie qu'on me servira du tofu au dîner (bingo). Après ce déjeuner, la domestique m'essuie le visage avec la serviette propre.

La matinée se poursuit en silence. La jeune femme me conduit dans une petite salle de bains (blanche) attenante à ma chambre, où elle retire mon collier et mes poignets de cuir. Après avoir placé mes mains sur ma nuque, elle m'aide à grimper dans la grande baignoire à pieds de griffon, où elle me lave et me rince avec douceur. Quand j'en sors, elle me sèche. Elle me coupe les ongles, me frictionne le corps d'huile. Elle va jusqu'à me brosser les dents. J'apprécie ces soins dignes d'un institut de beauté, même si je sais qu'ici on me tient pour un simple objet. Un objet qu'on espère transformer en objet de valeur. Mais ce système me convient. Le système. Conçu par une femme, me dis-je. Comme par hasard.

La domestique me ramène à présent dans la chambre, à côté de la fenêtre, où les rayons du soleil viennent toucher ma peau. Je retrouve le collier et les poignets de cuir – de nouveau, elle m'attache les mains sur la nuque. D'une légère poussée sur les épaules, elle m'oblige à m'agenouiller. Pendant qu'elle refait le lit et range un peu la pièce, je me surprends à tenter d'adopter la position exigée hier soir par Margot. La bonne me caresse alors la joue et m'embrasse tendrement sur le front avant de s'éclipser.

Pendant une dizaine de minutes, je reste figée. J'attends, en veillant à ce que mon dos se cambre, que mes jambes soient ouvertes, je lève le menton et baisse les paupières. Je m'efforce de respirer très lentement, très profondément, ainsi que l'on m'a appris à le faire au cours de yoga. Je tâche de jouir de ce bref moment de bien-être sans songer à la suite des événements. J'inspire. J'expire. Cela m'aide. Mille émotions ont beau se bousculer en moi, mon corps et une partie de mon esprit baignent dans l'apaisement. Je suis prête.

Enfin, du bruit survient à la porte et, déjà, Paul et Margot, vêtus de noir, prennent possession de mon réduit. Paul apporte avec lui une sacoche en cuir et un appareil photo. Margot promène une sacoche identique, ainsi que son ordinateur portable. Ils posent leur matériel sur la table et me remettent brutalement debout. Ils m'inspectent des pieds à la tête avec une brusquerie méticuleuse ; ils me poussent du doigt, de la main, à deux mains.

— Il est indiqué dans son dossier, indique Paul, qu'elle a toujours les yeux cernés. Moi, ça me plaît. Je vais mettre plus de lumière. Maintenant, Margot, à toi de jouer.

Celle-ci acquiesce d'un signe de tête avant de se tourner vers moi.

— Colle-toi contre ce mur, esclave. En position. Les mains sur la nuque. Les coudes bien écartés. Les jambes un peu écartées. Fais basculer ton bassin vers l'avant.

Tandis que je m'applique à suivre ses instructions (au moment où je lève les bras, mes seins se redressent), Paul allume des spots éblouissants fixés au mur face à moi. Il tripote une série d'interrupteurs et de boutons (dissimulés à l'intérieur d'une petite boîte elle aussi fixée à la paroi) pour modifier l'intensité et l'angle des projecteurs.

— Maintenant, ajoute Margot, regarde-moi droit dans les yeux.

Paul commence à prendre des photos en se déplaçant un peu partout dans la pièce.

— Au fait, dit Margot sur un ton détaché, j'ai oublié de te parler de ta punition. Tu es punie parce que tu t'es montrée trop lente hier, et parce que tu nous as adressé la parole sans y être autorisée. À l'heure du dîner, nous t'exhiberons dans la cafétéria du personnel. Et tu feras office de dessert pour l'équipe du soir.

Comme Paul prend un nouveau cliché, Margot me lance un regard bravache. Cette garce se révèle d'une grande intelligence : l'air de surprise outragée qui vient de se peindre sur mes traits était précisément ce qu'elle voulait que son comparse immortalise.

— C'est dans la boîte, lance celui-ci avec jubilation. Parfait, Margot. À quatre pattes sur le lit, esclave.

— Baisse les yeux, ajoute Margot.

Je me précipite sur le lit, tandis que Paul extirpe une poignée de lanières de sa sacoche. Avec dextérité, il ligote mes chevilles à mes poignets : mon cul se positionne comme il le souhaite. Quelques courroies encore, et me voilà immobile sur le matelas. Cette fois, il fait surgir un bâillon, un vrai, en matière rembourrée, qu'il attache à l'arrière de ma tête. La dernière lanière, il la plie en deux, la passe un moment sous l'eau dans la salle de bains, afin d'en raidir le cuir. Il l'essuie. Les coups se mettent à pleuvoir, qu'il place l'un après l'autre avec minutie. La canne de Jonathan est moins douloureuse. Je pleure, j'étouffe, j'émets des gargouillis derrière mon bâillon. Les coups ne sont pas si nombreux, mais Paul les applique de manière à dessiner sur ma peau un sombre croisillon.

Enfin, Margot l'aide à me détacher.

— Tu as fait de l'excellent travail, le félicite-t-elle affectueusement.

Profitant de mes yeux remplis de larmes et de mon hébétude, ils me traînent face au mur, où ils lient, au-dessus de ma tête, mes poignets à la chaîne que j'ai repérée hier soir. Ils se hâtent. Ils forment un duo d'une redoutable efficacité. En quelques secondes, ils ont écarté le lit, rajusté les spots et placé mon corps dans la posture idéale. Puisque, cette fois, Paul me photographie de dos, il m'a laissé mon bâillon – sans doute pour ne pas avoir à subir mes plaintes, mais aussi pour l'effet produit par l'accessoire sur le spectateur. Tout se déroule très vite. Bientôt, Paul me débarrasse du bâillon, range son matériel et quitte la pièce au pas de course, me laissant seule avec Margot.

— Ici, me dit-elle, nous savons prendre soin de nos esclaves. D'abord, nous préparons les enchères en rassemblant toutes les informations qui vous concernent pour les mentionner dans le luxueux catalogue que nous réalisons à l'intention des acheteurs potentiels. Voilà pourquoi tu restes avec nous pendant cinq jours. C'est le temps qu'il nous faut pour finaliser ce catalogue, puis l'expédier chez l'imprimeur. Nous venons de te prendre en photo. Plus tard, on te pèsera et on relèvera tes mensurations. Dès lors, nous saurons sur toi tout ce que nous avons besoin de savoir.

« Bien sûr, nous te nourrissons, nous te lavons, nous veillons sur la qualité de ton sommeil, nous te faisons faire de l'exercice, nous te baisons. Inutile de te préciser, je pense, que quiconque pénètre dans cette chambre pour te baiser est d'office ton maître ou ta maîtresse, et qu'à ce titre tu dois lui obéir totalement. Tu obéiras de la même façon aux entraîneurs qui te prendront en charge dans le gymnase. Tu vas travailler à leurs côtés deux heures et demie par jour. Tâche de bien te comporter avec eux, sinon nous te punirons pour manque de coopération.

« Nous avons aussi une salle d'exposition, où les acheteurs potentiels viennent t'observer. Ils peuvent demander à te rendre visite dans ta chambre, mais, en général, ils font leurs emplettes au Jardin. Le Jardin. C'est là que nous allons t'emmener tout à l'heure. Je ne t'en dis pas plus. Et toi, qu'as-tu à me dire ?

Je lui murmure mon approbation, sans oublier de l'appeler « maîtresse ». Après quoi elle reprend :

— Et maintenant, les punitions. Ici, bien sûr, elles sont en nombre limité, car nous ne pouvons infliger aux esclaves des marques qui risqueraient de les desservir le jour de la vente aux enchères. Nous travaillons donc essentiellement sur l'exhibition et l'humiliation.

Elle fourgonne dans sa sacoche pour en sortir deux petits écriteaux en carton plastifié – le texte est impeccablement calligraphié. TROP LENTE, indique le premier. PRISE DE PAROLE INCONSIDÉRÉE, est-il noté sur le second. Elle les attache tous deux aux anneaux de mon collier, l'un devant et l'autre derrière.

— Tu vas les garder toute la journée. De cette façon, tous les employés qui te croiseront aujourd'hui sauront que tu seras exhibée ce soir à la cafétéria avec d'autres soumis. Ils t'utiliseront alors comme bon leur semble. Quelquefois, ils se querellent pour obtenir l'esclave qu'ils convoitent le plus. Sinon, ils organisent des jeux de groupes. C'est un châtiment efficace, mais qui m'oblige à modifier ton planning sur Internet. Or, déjà, chaque fois qu'un acheteur potentiel désire passer du temps avec toi, il en résulte de menus bouleversements dans l'ensemble du système. Autant dire que tout ça n'est pas une partie de plaisir pour moi. Conclusion : ne m'oblige pas à te punir encore.

Sur quoi, elle me gifle.

— Non, maîtresse. Je ferai attention, maîtresse.

De sa sacoche, elle fait surgir cette fois un petit bracelet qu'elle ajuste autour de mon poignet gauche. C'est un bracelet en cuir souple, à l'intérieur duquel je sens de fins fils de fer. Margot ouvre son portable, appuie sur une touche du clavier : de petits picotements me parcourent le poignet, comme autant de minuscules aiguilles.

— Lorsque tu percevras ce signal, il sera temps pour toi de te rendre à l'étape suivante. Tu ignoreras forcément où elle se trouve. Pour le savoir, tu consulteras l'une de nos balises.

Elle me conduit vers un petit écran d'ordinateur incrusté dans le mur, à côté de la porte.

— Passe le bouton pression du bracelet devant la petite diode, m'indique-t-elle en me tenant le poignet, joignant le geste à la parole.

Le petit processeur émet un bruit ténu, après quoi l'écran s'allume : j'y découvre un schéma sommaire des lieux – des flèches sont censées me guider vers ma prochaine destination.

— Deux cent cinquante-six balises pareilles à celle-ci sont disséminées dans tout le bâtiment, m'expose Margot. Tu ne peux donc pas te perdre. Et nous, bien entendu, nous saurons toujours où te trouver. Dans cinq minutes, le signal électrique à ton poignet gagnera en intensité. Tu seras obligée de te dépêcher. Une fois parvenue à destination, tu passeras de nouveau ton bracelet devant la balise, pour que le signal s'arrête. Jusqu'à ta prochaine mission, bien sûr.

Elle m'observe un instant.

— Vas-y, maintenant. Mais d'abord, qu'as-tu à me dire, esclave ?

Alors que je la remercie, les picotements se font plus aigus, comme si des aiguilles plus grosses pénétraient plus profondément dans ma chair. Je passe le bracelet devant la diode pour vérifier l'itinéraire, puis je m'élance. Je parcours un long couloir, où je croise des gens très occupés – certains sont nus, d'autres pas ; tous se hâtent. Parmi ceux qui portent des vêtements, j'en vois qui coulent des regards appréciateurs vers les pancartes pendant à mon collier. Je me rue vers le Jardin, en m'efforçant d'oublier l'épreuve qui m'attend ce soir.

Le plan affiché sur les petits écrans des balises est certes rudimentaire, mais il remplit parfaitement son office. Une fois sortie de ma chambrette, je tourne à gauche puis à droite, je franchis une porte pour atteindre un vaste espace ouvert. Avant que je gagne la porte suivante, la force du signal électrique à mon poignet monte d'un cran. J'ai mal, mais je m'en soucie à peine : ce que j'aperçois par la porte grande ouverte me stupéfie.

Les lieux sont immenses – il faut peut-être bien compter deux fois la superficie d'un terrain de baseball – et surmontés d'un dôme. Fontaines, arbres en pots, allées de gravillon soigneusement ratissées, fleurs à profusion. Pas de gazon artificiel, mais des dalles superbes ou du gravier coloré. Et des parterres chargés de lierre et de robustes plantes grasses. Les créateurs de cet endroit n'avaient pas l'intention de singer la nature, mais le végétal y règne en maître, assorti de ruisseaux, de cascades miniatures, de petites collines et de sentiers sinuant parmi des charmilles en réduction. Le dôme, dont la structure en fer forgé d'inspiration Art déco m'évoque certaines entrées du métro parisien, laisse voir à travers ses vastes panneaux vitrés un ciel d'hiver gris-bleu. Je suppose qu'il s'agit du fameux Jardin dont Margot m'a parlé – palais des plaisirs, peut-être, orné de guirlandes électriques, où déambulent de-ci de-là des esclaves au corps paré.

Un garde à la mine lasse se tient à l'entrée.

— Connecte-toi à la balise, m'ordonne-t-il avant de défaire les pancartes pendues à mon collier. Tu ne dois pas les porter devant ces gens, mais n'oublie pas de venir les récupérer en partant, sinon tu auras de gros ennuis. Et maintenant, dépêche-toi.

S'il ne m'avait pas fait entrer de force, je serais sans doute demeurée plantée là, sur le seuil, indifférente à la douleur qui me brûle le poignet. Maintenant, je me hâte vers la balise suivante, dont je découvre l'écran dans un petit mur proche d'un troquet installé sur une terrasse en brique. Je tombe presque dans les bras d'un barbu en costume gris pâle qui, adossé au mur, sourit aux anges pendant qu'un jeune homme roux en tenue d'Adam lui fait une fellation. Je passe mon bracelet devant la diode, les picotements cessent aussitôt. Je profite de ce répit pour observer plus attentivement le décor alentour. Aux tables sont assis quelques visiteurs élégamment vêtus de soie ou de lin ; ils boivent du vin ou du café, ils dégustent des glaces – on les croirait en vacances. D'autres, plus nombreux, se promènent dans les allées en bavardant, en riant, en désignant du doigt des esclaves juchés comme des statues vivantes sur des piédestaux, des colonnes, des fontaines ou qui, derrière des masques somptueux, déambulent dans le petit zoo à la façon d'animaux en cage ou effectuent des tours de manège au bord du lac. De temps à autre, l'un des touristes, attiré par l'un ou l'autre des soumis, lui fait signe d'approcher. L'esclave s'exécute et se fige comme lors des « représentations » auxquelles Jonathan aime tant assister. Il ou elle offre sa bouche, son cul, sa queue, sa chatte… Quel majestueux spectacle ! Partout de délicats petits rires, partout la gracieuse obéissance des soumis… et, au beau milieu de tout ça, ma nudité sotte et ahurie…

C'est alors qu'un homme habillé en serveur me tend un plateau chargé de verres.

— La table à côté du citronnier, m'indique-t-il.

Je me dépêche. Je fais donc désormais partie de la scène ; à moi d'y tenir au mieux ma place. Ne renverse rien. Tiens-toi droite. Ils sont habillés, ils sont puissants, alors que tu te promènes nue, entièrement à leur merci. N'y pense pas. Et si tu sens tes seins danser à chaque pas, dis-toi que tu sens aussi leurs yeux posés sur toi. Ne renverse rien… Me voici à leur table.

— La glace ? je demande poliment, la coupe dans la main.

Une jolie jeune femme aux courts cheveux noirs et bouclés me sourit en hochant la tête – elle possède un teint de porcelaine. Pour le moment, tout se passe bien.

— La bière ?

Un barbu à la chevelure grisonnante se signale d'un mouvement du menton.

Le thé revient à un grand type aux traits anguleux dont le crâne est rasé. Je pose la tasse devant lui, mais, comme je m'apprête à me retirer avec une discrète révérence, il plaque l'une de ses grandes mains contre ma fesse et l'empoigne sans ménagement. Vu le traitement que j'ai subi moins d'une heure plus tôt, ce geste me fait mal, mais je tâche de n'en rien laisser paraître.

— J'adore ça, décrète le chauve. J'adore serrer un cul entre mes doigts. La texture de celui-ci est épatante. Les zébrures me plaisent aussi beaucoup. Sans doute a-t-elle été vilaine pour mériter cette correction. Ou alors celui qui lui a fait ça la juge plus provocante avec de telles décorations. Qu'en pensez-vous ? Francis ? Chloé ?

Sans attendre la réaction de ses compagnons, il s'adresse de nouveau à moi :

— Fais un tour sur toi-même pour mes amis, ordonne-t-il rudement.

Le plateau dans les mains, j'obéis. Je me tiens à présent, dos à la table.

— Baisse-toi, dit le chauve en déplaçant sa grosse patte jusqu'à mes reins.

Je casse le buste pour m'incliner, le dos bien droit, afin que le trio admire le remarquable travail effectué par Paul ce matin. Je me fais l'effet d'un babouin présentant ses hommages. J'essaie de me consoler en mettant le plus de grâce possible dans mes mouvements – les muscles de mes jarrets se tendent comme pendant un cours de danse classique. Je me réjouis de n'avoir pas à regarder ces gens dans les yeux.

Francis, le barbu, prend la parole d'un ton las.

— Est-il vraiment nécessaire, André, d'encourager Chloé dans cette voie ?

Puis il se tourne vers Chloé.

— Es-tu contente que nous t'ayons amenée ici ?

La voix de la jeune femme s'élève, claire et douce.

— Oui, Francis. C'est aussi intéressant que je le pensais. Et je ne crois pas qu'elle ait été vilaine. André a raison : on l'aura marquée de cette façon pour la rendre plus belle. Demande-lui de me rejoindre, André.

— Appelle-la toi-même.

— Toi, l'esclave, dit Chloé. Pose ce plateau et viens me voir immédiatement.

Je m'approche, les paupières baissées. Elle me tapote les seins avec le dos glacé de sa cuiller.

— Ils sont trop petits pour toi, Francis, déclare-t-elle. André et toi perdriez votre temps avec elle.

Francis acquiesce et, déjà, porte le regard au loin, où une poitrine plus opulente a visiblement retenu son attention.

— Retrouvons-nous dans une heure, propose-t-il à ses amis. Je vais demander au serveur qu'il désactive son petit bracelet un moment.

Merci, Francis… André sort une laisse de sa poche, qu'il tend à Chloé. Cette dernière l'attache à mon collier.

— Que dirais-tu d'un joli petit collier incrusté de brillants ? pépie-t-elle. On pourrait aussi lui vernir les ongles des pieds, et lui dorer la pointe des seins. Ou alors, un peu de poudre bleue ?… Et une niche. Une jolie petite niche dans laquelle elle enterrait en rampant. J'adore son air triste…

« Quel dommage que nous ne puissions pas la rendre encore plus triste. Pourquoi ne pouvons-nous pas la fouetter, ou du moins regarder quelqu'un le faire ?

— Réfléchis, voyons. Avec le monde qu'il y a cette semaine pour les enchères, elle finirait avec les fesses comme des steaks hachés. Moi, j'adore la regarder, observer ses efforts pour nous cacher sa honte.

Je rougis violemment. Les ongles vernis m'ont mise hors de moi, de même que le collier incrusté de brillants. Je ne supporte pas l'idée de devenir l'animal de compagnie de Chloé.

Elle m'oblige à m'agenouiller.

— Suis-moi à quatre pattes. André, comptes-tu vraiment marcher derrière nous comme ça ? C'est ridicule.

— Je veux juste m'assurer qu'elle se tient bien, grommelle-t-il, les yeux sans doute rivés à mon cul strié.

L'allée dallée se révèle dure, froide et lisse sous mes genoux et mes paumes. Chloé me fait faire le tour du petit lac artificiel – elle s'arrête une ou deux fois pour bavarder avec des connaissances ou des amis qui, eux aussi, promènent leur esclave du jour. Enfin, elle s'assied sur un banc, non loin d'une cascade.

— Bois, m'ordonne-t-elle.

Et je lape un peu d'eau.

— Et maintenant, mange.

Elle soulève sa jupe pour me mettre sous le nez une chatte de toute beauté, intégralement rasée, cernée de jarretelles et de bas noirs. J'y pénètre avec la langue, tandis que Chloé continue de serrer fermement ma laisse. Elle gémit à petits coups. Je lèche les replis de ses lèvres, je décris des cercles, je l'aguiche, non sans m'aventurer souvent sur le bouton du clitoris.

Je ne suis pas surprise de sentir soudain André s'introduire dans mon anus – ses deux grosses mains sont venues se plaquer sur mes seins. Je voudrais crier, mais Chloé presse mon visage contre son sexe. Je m'abandonne à leurs rythmes, active avec celle-ci et passive avec celui-là, jusqu'à ce que tous deux jouissent avant de se pencher l'un vers l'autre pour s'embrasser goulûment.

— Nous essaierons un garçon tout à l'heure, lui souffle-t-il d'un ton endormi. Un très joli petit garçon.

Chloé détache mon collier. J'en déduis qu'il est temps pour moi de déguerpir.

Comme je me relève, j'avise un homme seul, assis sur un banc au bord du lac. Il feuillette des documents, activité pour le moins étrange dans le cadre idyllique du Jardin. Je suis prête à parier qu'il m'a observée pendant que je me trouvais avec André et Chloé. Pourquoi ai-je acquis cette certitude ? Je l'ignore. Qu'ai-je perçu, à part les ondes, peut-être, d'une attention plus soutenue que d'ordinaire, et une certaine qualité de silence ? Je l'examine un moment, sans distinguer autre chose que l'éclat de ses lunettes teintées. Puis je me rappelle qu'il faut baisser les yeux. Et voilà que des picotements me parcourent le poignet. Zut ! Je me rue vers la balise la plus proche.

L'écran me ramène vers ma chambre, où une domestique se charge de ma toilette avant de me donner à manger. J'enchaîne avec une sieste d'une heure environ, puis les fourmillements du bracelet m'expédient au gymnase. De nouveau, les petits écriteaux signalant mon infamie pendent à mon collier. Comme je passe le bracelet devant la balise, une imprimante voisine se met à cracher du papier : le document contient des informations me concernant, afin que l'entraîneur adapte son programme à ma personne – étirements, *step*, haltères.

On se croirait dans ces salles de sport fréquentées par de jeunes cadres dynamiques – à ceci près que personne, ici, ne se promène avec des écouteurs sur les oreilles : une radio diffuse dans la pièce une pop répétitive. De plus, celles et ceux qui s'activent autour des engins, soulèvent de la fonte ou se contorsionnent sur des tapis de yoga sont tous, sans exception, des esclaves nus portant poignets de cuir et colliers, tous encodés dans le vaste système mis au point par Margot. Quelques-uns, comme moi, arborent au cou une pancarte indiquant qu'on les punira le soir même. Je lis par exemple REGARD INDISCIPLINÉ. Ou encore : DÉSOBÉISSANCE VOLONTAIRE. Cette inscription me fascine. Elle pend au collier d'un grand gaillard installé sur un banc de musculation. Il possède des cuisses puissantes, splendides. Ses longs cheveux noirs ont été ramenés en queue-de-cheval sur sa nuque. Qu'est-ce que DÉSOBÉISSANCE VOLONTAIRE signifie de plus que DÉSOBÉISSSANCE tout court ?... Je formule en silence un tas d'hypothèses ; il faut bien s'occuper l'esprit pendant qu'on s'échine sur la machine à *step*...

Bien sûr, je suis censée garder les paupières baissées, mais la tentation est forte de poser les yeux partout – et, pour tout dire, nos entraîneurs se montrent plutôt conciliants envers cette petite entorse au règlement. Nous sommes ici pour travailler. Il faut souffrir – mais ça, qui de nous l'ignorerait encore ? Il s'agit ensuite, au plus profond de soi, de gérer ses sensations et ses sentiments (l'excitation, l'avilissement…). Nous nous jaugeons tous à la dérobée, en vue de la compétition qui nous attend lors des enchères. Les visages que j'observe sont beaux, voire très beaux, et quant aux corps, ces corps qui transpirent et se tendent sous l'effort, je les trouve magnifiques. Il ne me reste plus qu'à espérer qu'un acheteur se montrera bientôt sensible aux « qualités » que Kate Clarke a décelées chez moi. Sinon, retour à l'université.

Je m'attarde sur notre « désobéissant volontaire », qui vient de passer du banc de musculation au tapis roulant. Je ne le lâche plus, je regarde jouer les muscles fins de son ventre, les menus tendons à la base de sa queue violacée, joliment encadrée de petits poils noirs et bouclés. J'ai beau m'exhorter à « discipliner mon regard », comme dirait Margot, je dévore ce garçon des yeux. Lorsqu'on m'entraîne enfin vers un plan incliné, je me sens soulagée : l'heure est venue pour moi de me concentrer sur mes propres abdominaux.

La pop diffusée par les haut-parleurs m'assomme, je l'échange intérieurement contre de vieux tubes tels que ma mère m'en chantait à tue-tête dans la voiture. Je soupire et j'accentue l'inclinaison de la planche de quelques degrés. Rien à faire : me voilà revenue au garnement qui m'obsède depuis tout à l'heure. Le *bad boy*. Le rebelle. Il suffit de le regarder traîner les pieds pour s'en convaincre.

Descendu du tapis roulant, il se dirige, probablement titillé par son bracelet, vers la balise la plus proche. Il consulte les instructions que l'engin lui livre. Chacun, ici, suit un planning distinct de tous les autres. Si on me confiait plusieurs esclaves, je crois qu'à l'inverse je les soumettrais tous au même régime, en groupe, comme c'est le cas à l'armée, à l'école primaire ou dans la ferme de sir Harold. Ici, on semble tenir chaque soumis pour une marchandise unique en son genre, de sorte que, si nos chemins se croisent, nous n'avançons jamais ensemble. C'est là, je pense, la spécificité du système mis au point par Margot. Ici, on n'enrégimente pas les pensionnaires – sauf, je suppose, dans un but bien précis, lors d'activités spécifiques dévolues à leur humiliation. Je poursuis ma réflexion : il existe mille façons de contrôler autrui, et ces mille façons, j'ai, en compagnie de ceux qui s'intéressent comme moi aux rituels du pouvoir et de la domination, la chance de pouvoir en jouir au maximum. Jonathan m'a expliqué qu'il s'agissait de copier l'organisation féodale, de renouer avec les structures sociales de l'Ancien Régime – de remonter un peu dans le temps, avant l'avènement de la démocratie bourgeoise. Mais, alors que je suis en train de déterminer la fonction exacte de ce jeu de rôles, voilà que, sans le moindre doute possible, mon « rebelle » articule ces mots sans bruit : « À ce soir. » Et déjà, il sort du gymnase d'un pas nonchalant.

J'ai peur. Je songe à Cathy et à son bout de tuyau d'arrosage. Un entraîneur ou un gardien a forcément repéré ce manège. Dans quelques minutes, on va me traîner jusqu'à un noir donjon dans lequel on va m'écarteler, me faire subir le supplice du chevalet… bref, me faire goûter aux joies du Moyen Âge. Mais il ne se passe rien. Si quelqu'un s'est aperçu de quelque chose, il est resté muet. Je reconnais d'ailleurs que le garçon a choisi le moment le plus opportun pour agir. Peut-être ai-je affaire à un voyou, qui doit sa débrouillardise aux années qu'il a passées dans la rue depuis son plus jeune âge. Je l'imagine vêtu comme Marlon Brando à ses débuts : un jean, un T-shirt blanc ajusté, un paquet de cigarettes glissé dans un revers de la manche. Une ceinture de cuir. Des bottes de moto. Cette image me donne chaud. Du calme. Tu l'as déjà observé nu. Soyons honnête : je meurs d'envie de le retrouver ce soir.

Je passe deux heures et demie de plus dans la salle de sports, sans m'apercevoir de grand-chose : je flotte. Soudain, les petites décharges électriques délivrées par mon bracelet me ramènent à la réalité. Comme indiqué sur le plan, je regagne ma chambre, où une domestique me lave à nouveau avant de me faire boire de grandes quantités d'eau. Lorsqu'elle quitte la pièce, c'est pour me laisser, comme à l'accoutumée, sur les genoux, la posture la plus misérable, autrement dit la plus attirante pour celui ou celle qui, si Margot a dit vrai, finira par se présenter ici pour me baiser. Je patiente. Bientôt, un membre du personnel (qui, si j'en juge par ses souliers, a tout du bureaucrate de base) entre dans la chambre. Il me pénètre gauchement. Après son départ, je demeure pendant une vingtaine de minutes sur le lit, le nez dans la couverture, en me demandant dans quelles proportions « ils » estiment devoir me faire subir ce traitement. Question intéressante. Pas désagréable au demeurant. Beaucoup moins, en tout cas, que l'idée de la punition nocturne, à laquelle je m'applique à ne pas penser, tandis qu'au-dehors le ciel s'obscurcit.

Une autre domestique fait son entrée. Elle fait ma toilette, m'apporte le tofu auquel je m'attendais, accompagné de légumes. De nouveau, je patiente. J'inspire et j'expire comme on m'a appris à le faire au cours de yoga. Je hais ce suspense. Enfin, un vigile (Dieu merci, il ne s'agit pas de Karl) se présente, m'affuble de douloureuses pinces à mamelons assorties de clochettes, puis disparaît sans une parole.

Au bout d'une quinzaine de minutes, mon bracelet me chatouille le poignet. Je m'engage dans les couloirs, les clochettes, à la pointe de mes seins, tintant douloureusement à chacun de mes pas ; je me sens méprisable. J'arrive sur le seuil d'une petite cafétéria, dans laquelle un garde, en faction à la porte, me fait entrer. Sous une lumière crue se trouvent disposées des tables en formica avec des chaises en plastique moulé. Rien que de très ordinaire pour ce type d'endroit, à l'exception d'une estrade d'environ un mètre de haut pour sept ou huit de large, adossée à l'un des murs. Deux ou trois esclaves s'y trouvent déjà agenouillés, les fesses contre le mur, de petites pancartes pendant à leur collier, les paupières baissées. Certains convives les regardent, les désignent du doigt, plaisantent, sans doute à la perspective des bons moments qu'ils ont prévu de passer avec l'un ou l'autre d'entre eux. Le reste des employés présents se contente de dîner, de boire un café, de fumer une cigarette en bavardant.

Le vigile m'ayant conduite au bord de l'estrade, je note qu'il ne m'enchaîne pas : ici, on grimpe seul sur la plate-forme, puis on recule jusqu'à s'embrocher sur l'un des godemichés scellés dans le mur. Ces derniers se trouvent fixés à des hauteurs différentes, afin de s'adapter à la taille de celui ou de celle qui s'y empale. L'engin est énorme, il est froid, lisse, dur et – par bonheur – abondamment lubrifié. Mes grimaces me valent quelques huées et quelques gloussements de la part de l'assistance – on me promet de m'en faire voir bien davantage avant la fin de la soirée. Quelqu'un me jette une boulette de papier au visage, puis je reçois une peau de banane sur l'épaule. Je rougis. Je baisse la tête, mais mon gardien m'oblige à relever le menton avec le manche de son fouet. Tandis que je me cambre pour adopter la position requise, les clochettes tintent au bout de mes mamelons meurtris. J'observe les figures dans la salle, banales, joviales, réjouies… Ce châtiment-là m'avilit plus que tout autre. Je me sens rabaissée. Jamais encore je n'avais éprouvé cette indignité. Je me rappelle Jonathan évoquant – cela me paraît déjà si loin – mon intelligence critique. Tu parles. Ces gens-là ne se soucient pas le moins du monde de mon intelligence critique, ni des subtilités de ma conscience, non plus que de l'équilibre précaire qui s'établit entre objectivisation et subjectivité narrative… Je me sens totalement démunie. Je n'ai pas envie de les regarder. Je garde la tête droite, mais je baisse les paupières autant que faire se peut. Du coup, mon regard se porte sur ces maudites clochettes qui rutilent sous les néons. Je m'efforce de ne pas fondre en larmes.

Je devine du coin de l'œil que d'autres esclaves se joignent à nous. Lorsque le Rebelle paraît, point ne m'est besoin de le voir : un murmure d'excitation parcourt la foule, les sifflets et les quolibets fusent, on lance de petits missiles de toutes sortes dans sa direction avant même qu'il ait pris place sur l'estrade. Il représente sans conteste le clou de la soirée, le pompon, la cerise sur le gâteau. Mon effroi s'envole, et je relève les paupières.

Le voilà à son tour embroché sur son gode. Notre garde-chiourme, décidé à jouir de son quart d'heure de gloire, en profite pour le gifler à plusieurs reprises avant de tirer sur les clochettes suspendues à ses tétins, qu'il prend ensuite plaisir à tordre. (Le garçon arbore une clochette supplémentaire, fixée à ses testicules.) Les spectateurs goûtent la petite prestation du vigile, même si l'absence de réaction de l'esclave semble les frustrer un peu. (Je dois avouer que j'aurais, moi aussi, désiré le voir tressaillir ou grimacer.) Mais la soirée ne fait que commencer.

Pourtant, des disputes éclatent déjà entre les employés. C'est que ces cinquante personnes là ont bien compris qu'elles ne pourraient pas toutes s'offrir les services du « clou de la soirée » ; certaines devront se contenter des autres, dont je fais partie. Je me demande s'il s'agit pour moi d'une bonne ou d'une mauvaise nouvelle.

Je ne peux qu'admirer la vitesse à laquelle ils procèdent, le sens de l'équité qu'ils manifestent et la bonne humeur qui règne dans leurs rangs. Cela dit, vu la façon pour le moins singulière avec laquelle cette entreprise récompense ses salariés, ceux-ci auraient mauvaise grâce à jouer les difficiles !

Pour ce que j'en saisis, les règles entre eux sont les suivantes : le Rebelle sera baisé par deux équipes de dix personnes (des hommes, forcément – ce dont les femmes paraissent se formaliser, mais les lois de l'anatomie l'emportent parfois sur les aspirations démocratiques). Chacune des deux équipes se positionne à la bouche et à l'anus du soumis, le but de la compétition consistant à mettre le plus de temps possible avant d'éjaculer. On prend des paris, sans que je saisisse de quoi se composera la récompense. Entre-temps, on a éjecté les autres esclaves de l'estrade pour la tirer au centre de la salle, afin que chacun puisse profiter du spectacle. L'un des membres de l'équipe affectée à l'anus du Rebelle est allé chercher en cuisine un gros pot de graisse alimentaire.

Nous autres ne sommes plus guère que du menu fretin. Après avoir passé une laisse dans l'anneau de notre collier, les employés nous promènent à quatre pattes parmi leurs collègues, s'arrêtant de-ci de-là. Nous jouons, en somme, le rôle du seau de pop-corn pendant une séance de cinéma. J'en éprouve un immense soulagement. Ainsi qu'une légère pointe de vexation. Allez comprendre…

On me jette donc à quatre pattes sur le linoléum, puis on confie ma laisse à une femme opulente assise non loin de l'estrade. Elle soulève sa jupe et fourre ma tête entre ses cuisses. Je lèche, je suce. Je sens trembler son gros ventre, tandis que la foule autour de nous braille et s'esclaffe.

Au bout d'un moment, la femme tire sèchement sur ma laisse et m'administre une fessée magistrale. Je m'approche du maître suivant, qui me retourne pour me sodomiser. J'en profite pour observer ce qui se passe sur l'estrade. Comme je m'y attendais, le « clou de la soirée » s'y tient à quatre pattes, suçant l'énorme sexe d'un cuisinier (ou du moins d'un homme vêtu comme tel) qui, ayant empoigné sa queue-de-cheval, contrôle ainsi les mouvements de sa tête. Si, dans un premier temps, la scène me navre, je ne peux m'empêcher de penser que, loin de se réduire à une bouche passivement dédiée au plaisir de celui qui le domine, mon Rebelle fait fonctionner sa cervelle en sous-main. Quant à celui qui s'est échiné entre ses fesses (un électricien, je crois), il vient justement d'éjaculer sous les vivats de l'assistance. Il se retire, un peu titubant, aussitôt remplacé par l'un de ses camarades – les hourras et les cris d'encouragement reprennent de plus belle.

Cette allégresse décuple l'ardeur de mon maître du moment. Je hurle de douleur, ce qui me vaut quelques terribles gifles sur les seins. Il finit par conclure et se rassoit avant de confier ma laisse à sa voisine, qui me soulève de terre pour me coucher en travers de ses cuisses et me donner la fessée (la foule, elle, s'est mise à applaudir en rythme pour accompagner l'orgasme de l'homme qui, à présent, se prépare à jouir dans la bouche du soumis vedette). Le temps passe. Ma laisse circule de main en main, je tâche de respirer comme j'ai appris à le faire au yoga, je m'ouvre de mon mieux. Néanmoins, j'ai mal aux genoux, mon visage est enduit de foutre et de larmes, je sens poisser mon corps tout entier. Je transpire à grosses gouttes.

J'œuvre sous les jupes d'une femme lorsque la compétition prend fin, saluée par une ovation générale, des gémissements et des huées – probablement émises par ceux qui ont parié sur les perdants. Je ne suis pas en mesure de voir qui a remporté la victoire, ma maîtresse pressant fermement ma figure contre son sexe, résolue à profiter de mes services jusqu'au bout. Je m'exécute consciencieusement. Tout à coup, elle gémit et ses mains relâchent leur étreinte. Un vigile s'empare immédiatement de ma laisse, sur laquelle il tire pour me remettre debout. On relève aussi le Rebelle, que l'épuisement a probablement terrassé. Les spectateurs hurlent leur réprobation, avant d'éclater de rire en le voyant flageoler sur ses jambes. Deux costauds l'empoignent et le contraignent à un tour d'honneur, pour que chacun puisse au moins le pincer un peu ou le bourrer de coups. Le Rebelle ne pleure pas. Au contraire, il paraît vivement intéressé par le déroulement des opérations, l'œil vitreux et les traits tirés, mais formidablement alerte.

Cette fois, la fête est finie. Quand un garde me saisit par les épaules pour m'indiquer la direction de la sortie, je repère à nouveau l'homme aux lunettes fumées. Adossé à un mur, les bras croisés sur la poitrine, il observe l'ensemble de la scène. Du moins, il m'observe. Peut-être s'agit-il du chef de la sécurité, me dis-je, en m'apprêtant à m'engager dans le labyrinthe habituel de couloirs pour regagner ma chambre. Derrière moi, je perçois quelques clameurs et de gros rires – sans doute les employés continuent-ils de tourmenter l'éphèbe. Jamais je ne découvrirai de quoi il faut se rendre coupable ici pour être accusé de « désobéissance volontaire ».

Les deux jours suivants se révèlent nettement plus paisibles. Je passe le plus clair de mon temps au

Jardin – je suis un lion dans un zoo, un paon richement orné sur le petit manège, une statue au centre d'une fontaine, à nouveau une serveuse de café… Je réagis très vite au moindre signe de tête péremptoire, au moindre claquement de doigts, au dédaigneux « Toi, là-bas ». Aussitôt, j'abandonne mes occupations du moment, je m'incline, les sens en alerte, je m'applique à prévenir les désirs de celui ou celle qui m'a élue, je m'ouvre, je m'offre tout entière aux doigts inquisiteurs, aux queues bien raides, aux gifles et aux pinçons, aux jugements appréciateurs que mon maître du moment émet à l'adresse de ses amis ou d'autres acheteurs éventuels.

Dans ma chambrette, je me contente d'attendre les visiteurs. Il s'agit indifféremment de futurs enchérisseurs ou de membres du personnel. Ces derniers ne se déplacent que pour me baiser – il leur est interdit de laisser des marques sur ma peau à quelques jours de la vente (mon cul, lui, cicatrise peu à peu), aussi ne m'infligent-ils pas de souffrances excessives. Ils me giflent et me fessent abondamment, ils font claquer leur fouet, mais rien de bien méchant. Les acheteurs éventuels ne se comportent pas autrement. Peut-être, me dis-je, parce que mon réduit blanc meublé d'un lit en fer tient autant de la chambrette de bordel que de la cellule de nonne.

Le temps s'écoule dans un présent perpétuel, à la fois confortable et monotone. Je ne découvre aucune pendule dans le bâtiment, je ne sais jamais l'heure qu'il est. Je n'ai que deux choses à connaître : le lieu où je dois me rendre et ce que j'ai à y faire. Je peine à garder les enchères en tête – j'ai l'impression de vivre ici depuis toujours. Il n'empêche, je ne relâche pas mes efforts : j'obéis de mon mieux, j'adopte les positions adéquates, je tâche de rester détendue en toutes circonstances. Les mots de Margot résonnent souvent dans mon crâne : « Le système est ton maître. » Je pense à elle. La reverrai-je ?

Le cinquième jour, en fin d'après-midi, autrement dit le soir précédant la vente aux enchères, une surprise de taille m'attend. Mon bracelet me mène du gymnase à ma chambre où, sur le lit, une robe est étalée. Il s'agit de l'une de mes robes, en laine gris-vert, une longue veste pour ainsi dire, douce au toucher et boutonnée sur le devant. Jonathan me l'a achetée avant que je me présente aux jurés des épreuves éliminatoires. Dans la chambre, je retrouve également mes chaussures, juste à côté du lit. À quoi s'ajoutent une paire de bas, un porte-jarretelle, ainsi que de jolis sous-vêtements Victoria's Secret – petit short en soie très sexy et soutien-gorge à armature en dentelle avec agrafe sur le devant. Coloris gris fumé. Jamais je n'ai arboré de telles splendeurs. Avant de connaître Jonathan, je me cantonnais aux culottes en coton et, après notre rencontre… je n'ai plus rien porté du tout ! On m'a même rendu ma montre. Est-on en train de me mettre à la porte ? Il ne me semble pourtant pas m'être mal comportée.

Je m'affole. Comme je m'approche du lit, j'y découvre un billet :

Retire ton collier. Prends une douche, habille-toi et maquille-toi. La balise t'indiquera ensuite où te rendre.

Jamais encore je n'ai ôté mon collier. Je m'exécute d'une main tremblante. Ce n'est certes pas bien compliqué, juste l'affaire de quelques boucles. On me congédie, j'en suis maintenant convaincue. Je gagne la petite salle de bains, où je me douche longuement – pour la première fois depuis longtemps, je fais seule ma toilette, comme les gens « normaux ». Des souvenirs lointains remontent à ma mémoire. Je bataille un instant avec les produits de maquillage mais, finalement, je m'en tire bien. Je nage en pleine confusion, j'ai l'impression qu'on s'est moqué de moi. Je me donne pourtant tellement de mal, et depuis de si nombreux mois… Qu'exigeaient-ils de moi, que je n'ai pas su leur donner ? À moins qu'« ils » aient repéré les brefs regards que j'ai échangés avec le Rebelle, me dis-je en faisant les cent pas dans la pièce.

Enfin, le bracelet se manifeste. Je me rue vers la balise, examine le plan et m'élance. Le labyrinthe se révèle particulièrement complexe, au point qu'un peu égarée, il me faut consulter un autre écran en cours de route. Mais Margot a raison : ici, on ne se perd jamais. La dernière portion de l'itinéraire m'entraîne vers un escalier, que je gravis avec la sensation de progresser à l'intérieur d'un jeu vidéo. Je m'en amuserais presque, si je ne craignais autant de me voir bientôt éliminée de la partie.

L'ultime couloir mène à des bureaux (au mur se trouve un tableau de service portant diverses informations techniques). Une femme superbe, vêtue d'un jean et d'un sweat-shirt siglé ORACLE, me regarde, avec curiosité, filer sur mes souliers à hauts talons. Nous y voici : une balise au milieu du couloir, auprès d'une porte ouverte.

Alors que je passe mon bracelet sous la diode, j'entends, du bureau, s'élever la voix de Margot. Je ne suis pas surprise, mais j'éprouve aussitôt un mélange d'excitation et d'effroi.

— Entre ! lance-t-elle abruptement.

À peine lève-t-elle les yeux de son écran.

— J'en ai pour une minute. Assieds-toi.

Encore un bourreau de travail… À ma terreur s'ajoute un soupçon d'agacement : on me néglige. Je prends place sur une chaise en bois, d'où je détaille le petit bureau à l'austérité monacale. Plusieurs ordinateurs, une imprimante, d'autres machines dont j'ignore l'usage. D'impeccables piles de feuillets vierges ou de sorties papier, des réimpressions d'articles scientifiques, une flopée de manuels techniques. Un peu de littérature et de philosophie – Michel Foucault, Fourier, le volume de Sade contenant *Justine* et *La Philosophie dans le boudoir*. Dans une alcôve, on a installé un vieux canapé de cuir dont l'un des accoudoirs accueille un jeté de lit à motifs, soigneusement plié. Par la fenêtre sans rideaux, je distingue les ténèbres piquées d'une poignée d'étoiles et, au loin, les lumières de la ville.

Margot pousse un soupir satisfait avant de presser une touche qui commande l'apparition d'un économiseur d'écran tout en dessins géométriques mouvants, puis elle se tourne vers moi sans me regarder et passe un bras par-dessus le dossier de son fauteuil. J'oublie ma peur et mon irritation. Elle porte le même pantalon de cuir que l'autre jour, avec un chemisier de soie noire. D'imposantes créoles en argent complètent sa tenue. Elle me sourit. Elle me sourit d'un large sourire malicieux et ravi, qui fait déferler en moi des vagues de confusion, de malaise et de désir.

— J'aime vraiment cette robe, observe-t-elle. Ton petit ami a beaucoup de goût.

Elle se lève et s'approche de moi avant de poursuivre.

— En revanche, tu n'as pas besoin de ce bracelet.

Elle m'en débarrasse et embrasse l'intérieur de mon poignet. Les sensations que son baiser produit valent plus que tous les chocs électriques reçus à cet endroit depuis quelques jours. Le fait est qu'ils sont en train de me virer, me dis-je. Plus de collier, plus de bracelet…

Margot se met à rire.

— Ne t'en fais pas. Nous n'avons pas l'intention de te jeter dehors. Tu n'as pas besoin de bracelet parce que tu es avec moi, c'est tout. Mais, si ça peut te rassurer, je peux aussi t'ordonner de te mettre nue, à quatre pattes sur le sol. Ici, la tradition veut que, lors du dernier dîner, nous te traitions en femme libre. À condition que tu te sentes capable de supporter cette situation. Dans le cas contraire, tu peux encore changer d'avis. Hé, souris un peu. Ce soir : pas de tofu. Réjouis-toi.

Une domestique se présente à la porte, poussant devant elle un chariot roulant tel qu'on en voit dans les hôtels pour le service d'étage. Sur la nappe blanche dont il est couvert trône le repas – une série d'assiettes dont le contenu se cache sous de grosses cloches en argent. Je reste assise. La serveuse place le chariot devant moi. Margot s'installe de l'autre côté.

La table est dressée pour deux. La domestique soulève les cloches une à une. En effet. Pas de tofu à l'horizon. Au lieu de quoi : des plats dont je raffole. Du pâté en entrée. Saumon pour suivre. Poireaux braisés. Champignons *shiitake.* Du pain – un pain exquis, croustillant à souhait. Margot ouvre une bouteille de vin.

— Je ne suis pas étonnée que vous connaissiez mes goûts, lui dis-je en commençant à me servir.

Je continue de me poser des questions, mais l'excellence des mets me rassure sur les intentions de la jeune femme. J'enchaîne :

— Cela dit, j'imagine que tout le monde ne vient pas dîner ce soir dans votre bureau.

— Les autres ont droit eux aussi à un repas de fête, mais ils le prennent dans leur chambre. Je suis tellement débordée par les préparatifs pour demain que j'ai préféré te convoquer ici. Pourtant, crois-moi, notre personnel est suffisamment nombreux pour veiller sur l'ensemble de nos pensionnaires. Simplement, j'ai outrepassé les paramètres du système pour m'y intégrer. Il fallait bien que quelqu'un le fasse.

Je sirote mon vin à petites gorgées, soudain très intimidée. J'ai presque l'impression d'un rendez-vous galant. Margot se penche pour déposer un doux baiser sur mon front – j'aperçois ses seins par le col ouvert de son chemisier en soie. Elle est splendide, quoique sa beauté ne saute pas aux yeux de prime abord. Quand on la rencontre, on perçoit plutôt son énergie, la maîtrise impressionnante dont elle fait preuve, la forme d'une clavicule, l'ombre de la pommette. Et, par-dessus tout, ses mains aux mouvements brusques, aussi puissantes qu'expressives.

Une excitation sexuelle s'empare de moi, qui entre en conflit avec la joie absurde que j'éprouve à déguster la nourriture de choix qu'on m'a réservée. Je reste un instant bouche bée, puis très vite je referme les lèvres et recommence à mâcher. Je ne sais plus quoi penser. Margot m'a annoncé qu'on me traitait ce soir en femme libre. Cela signifie-t-il que je peux dire tout ce que je souhaite sans risquer de me voir ensuite privée de dessert ? Mais qu'ai-je réellement envie de lui dire ? « Vous venez ici souvent ? »

— À quel moment dois-je vous informer que j'ai changé d'avis ou non ? je demande. Je n'en ai pas l'intention, mais si je le fais, faut-il que je me déshabille immédiatement ?

— Nous commençons par dîner gentiment, puis je te poserai la question. Si tu me confirmes que tu n'as pas changé d'avis, j'appellerai la domestique avant de me retirer pour la regarder te déshabiller puis t'entraver de nouveau. Cette scène est censée constituer ton humiliation ultime entre nos murs. Personnellement, je trouve ça sans le moindre intérêt, mais cette coutume a été établie avant ma nomination au sein de l'organisation. Dans quelque temps, j'espère mettre sur pied une cérémonie autrement plus passionnante. Sur ce, penses-tu que tu vas enfin réussir à te détendre ?

— Je crois, oui. C'est de la torture mentale, mais ça me va. La cuisine m'enchante et je me réjouis que vous me teniez compagnie. Pardon. Ce que je raconte est parfaitement idiot. Si j'agissais en femme libre, je commencerais par vous demander comment vous avez atterri dans cette structure. Après tout, vous, vous savez de quelle manière je me suis retrouvée ici.

Margot éclate de rire. J'adore sa bouche.

— Je comprends. Pour arriver jusqu'ici, j'ai suivi à peu près le même parcours que toi. Au départ, du moins. Après avoir été vendue aux enchères, j'ai tenu mon rôle d'esclave pendant un an. Cependant, à la vérité, je n'étais pas très douée. Je garde d'excellents souvenirs de cette période, mais je savais que je ne poursuivrais pas bien longtemps dans cette voie. En revanche, j'ignorais de quoi mon avenir serait fait. Environ trois semaines avant la fin de mon contrat, mon maître m'a convoquée dans un petit bureau, où je ne m'étais encore jamais rendue. Une pièce minuscule, en désordre, bourrée d'ordinateurs et de matériel informatique. On avait ouvert la coque de certaines machines, dont les entrailles se montraient à l'air libre. Je n'avais jamais vu ça. Mes yeux se posaient partout, sur le moindre clavier, sur le moindre câble. Je me tenais à genoux aux pieds de mon maître, qui m'a soudain giflée si fort que j'ai basculé.

« "Tu n'es pas attentive, Margot", a-t-il décrété. Je te fouetterai ce soir.

« — Oui, monsieur, ai-je répondu sur un ton misérable. Merci pour la correction que vous allez me donner, monsieur.

« — Mais d'ici là, a-t-il repris, je vais te laisser seule dans cette pièce pour le reste de l'après-midi. Tu trouveras des manuels et des modes d'emploi de logiciels sur l'étagère. À toi de voir ce que tu es capable d'apprendre pendant ces quelques heures. »

Margot marque une pause avant d'enchaîner.

— Cette histoire n'a aucun intérêt, observe-t-elle. Je vais essayer d'abréger. Mon maître avait vu juste : j'étais une surdouée de l'électronique qui s'ignorait. Et lui, même s'il ne m'en avait rien dit jusque-là, régnait sur un véritable empire de l'informatique. Ce soir-là, il m'a fouettée, comme promis, mais ensuite il a mis un terme prématuré à mon contrat d'esclave. Il m'a offert deux jeans, deux T-shirts, puis il m'a embauchée comme stagiaire.

À mon tour d'éclater de rire.

— Le fantasme classique du patron et de l'employée ! Mais le fait est que vous êtes revenue ici. Que s'est-il passé ?

— C'est là qu'on entre dans le vif du sujet : ton amie Kate Clarke s'est invitée dans le tableau.

— Mon « amie » ?

Pour un peu, j'en cracherais ma gorgée de café – le dîner se termine admirablement : café, cognac, fruits et fromages, crème brûlée.

— Soit, corrige Margot, pas ton amie. L'amie de ton ami. Je parie que tu ignores qu'elle a joint une note à ton dossier.

Il y a même des cigarettes. Margot en allume une pour moi, puis une autre pour elle.

— Il ne s'agit certes pas d'une critique dithyrambique, mais elle n'a pas le compliment facile. Pour autant, elle t'y décrit avec une redoutable précision. Selon elle, tu possèdes un potentiel immense, quoique ta formation présente des lacunes – à charge pour celui ou celle qui te prendra en charge, ajoute-t-elle, de gérer cette double caractéristique.

Margot se tait quelques instants.

— Le fait est que sa lettre a attiré notre attention sur toi.

Quiconque connaît à la fois Kate et Jonathan saisirait forcément que dans ce document se joue quelque chose qui me dépasse. Comment Kate peut-elle ainsi livrer en pâture cette opposition entre son professionnalisme sans faille et l'amateurisme supposé de son vieil amant ? Oh Carrie, je t'en prie. Pour ce qui est de s'exhiber, tu n'as de leçon à donner à personne… Il n'empêche : je m'étonne d'être capable de lire entre les lignes là où Margot, pourtant si perspicace, s'en tient au sens premier de la missive.

— En tout cas, reprend-elle, mon ancien maître a fait la connaissance de Kate. J'étais sa toute première esclave, et il se sentait mortifié, après tous les efforts qu'il avait déployés pour me choisir selon des critères strictement physiques, de n'avoir finalement déniché qu'une programmeuse informatique ! Il est réputé pour mettre la main sur des petits génies, mais, pour une fois, il aurait souhaité obtenir un tout autre résultat. Bref, à la fin de mon contrat, il a renoncé à participer de nouveau à des ventes aux enchères. Il s'est mis à fréquenter la maison de Kate, à Napa, où il m'a conduite à plusieurs reprises. Tu n'y es jamais allée, n'est-ce pas ?

— J'ai entendu parler de son établissement, c'est tout.

— Je suppose que tu iras. C'est… C'est un endroit exquis. On se croirait chez Panisse[1], mais un Panisse qui n'inscrirait que du sexe à son menu. Je suis contente qu'on m'y ait emmenée, car je n'aurais jamais eu les moyens de dépenser de pareilles sommes. Mais quel formidable cadeau ! Sur le plan sexuel, je me posais de nombreuses questions. Je

---

1. Célèbre restaurant situé en Californie, proposant une cuisine où se mêlent tradition française et produits locaux.

savais ce que j'aimais, mais je n'avais ni le temps ni l'énergie pour donner corps à mes envies. Voilà ce qui fait de Kate un être exceptionnel : si tu as des désirs bien définis, elle a le pouvoir de les réaliser. Tu apprends à la connaître – ou, plutôt, c'est elle qui te devine peu à peu. Et c'est ainsi qu'un beau jour nous nous sommes retrouvées, elle et moi, en train de railler ces adeptes du SM qui, pour la plupart, ne jurent que par les harnachements d'inspiration militaire ou rétro.

« "Je comprends", me disait-elle, qu'on puisse trouver du charme à ces costumes d'époque. Je n'ai rien contre. Mais qu'on en fasse l'unique toile de fond possible à l'affirmation du pouvoir, là, je dis non. Après tout, le pouvoir se trouve affirmé chaque jour dans le monde. »

Margot marque une nouvelle pause.

— Je me suis mise à lui parler d'ordinateurs, de contrôle… Le sujet la fascinait. De fil en aiguille, j'ai fini par obtenir le poste que j'occupe aujourd'hui. C'est Kate qui m'a fait embaucher. Elle connaît chaque membre de cet univers miniature, où je me sens comme un poisson dans l'eau. J'aime concevoir ces environnements destinés à définir le pouvoir. Tu me comprends, n'est-ce pas ?

— Oui, mais, à la réflexion, je suis surprise : pourquoi ne pas aller jusqu'à créer une réalité virtuelle ? Des « hologodes », par exemple ?

— Oh, je t'en prie. Et pourquoi pas des casques et des armures avec des capteurs dans la braguette ?

C'est ça qui t'excite, toi ? Bien sûr que non. Ce qui nous excite toutes les deux, c'est le pouvoir. Le pouvoir coercitif. La force, du moment qu'elle est maîtrisée. Je te fais faire quelque chose de précis, je fixe ta destination, tu deviens ce que je veux que tu deviennes. Toi, ta chair, ton *prana*[1]. Et ce que j'apprécie tout particulièrement, ce qui me fascine depuis toujours, c'est le fait d'amener l'esclave à prendre lui-même part au processus : tu te déplaces au sein de notre structure par tes propres moyens, c'est de ton propre chef que tu viens te livrer à moi. Certes, tu deviens un objet, mais cette métamorphose s'opère grâce à un effort d'intelligence et de volonté de ta part.

« Et le phénomène ne concerne pas uniquement la relation qui s'est établie entre toi et moi. Il s'étend au lien qui t'unit aux autres soumis, il se déploie jusqu'aux membres du personnel, ainsi qu'aux acheteurs potentiels. Nous évoluons à l'intérieur d'un univers complet, animé de ses propres mouvements. Le pouvoir s'y exerce, mais les rapports de pouvoir, eux, sont mis en scène. Je conçois une forme, que tu reproduis dans tes actions aussi bien que dans tes désirs. Voilà ce qui rend les ordinateurs aussi sensuels à mes yeux : ce sont de merveilleux outils de modélisation. Ils gravent les voies inexorables et invisibles du pouvoir et des flux d'énergie, aussi

---

1. Concept hindouiste désignant la substance même de la vie, présente dans tout ce qui existe.

sûrement que le fouet de Paul a marqué l'autre jour ton joli cul.

— Je comprends. Je crois même que je suis d'accord avec vous. Mais je pense aussi que vous sous-estimez l'importance du lien qui peut se tisser ici entre deux personnes. Par exemple, j'ai perçu, dès mon arrivée, que vous étiez la tête pensante de ce système. Au point que, quand cette espèce de gorille de Karl m'a sodomisée, je n'ai supporté l'épreuve qu'en songeant que c'était vous qui aviez engendré, tout exprès pour moi, cette souffrance et cette humiliation.

Margot reste muette un moment.

— Je n'avais pourtant aucune intention de susciter cette réaction chez toi. Du moins, je ne le crois pas. Et ce n'est en tout cas pas pour obtenir un tel résultat que mes supérieurs me paient. Cela dit, ça me plaît beaucoup. Alors comme ça, il te baisait et toi, tu pensais à moi ?

J'acquiesce en détournant le regard. Nous sommes tendues à rompre l'une et l'autre, agrippées chacune à son côté de la table. Margot se ressaisit la première.

— J'aime mon travail, dit-elle. Sexuellement, ça se passe plutôt bien, sachant qu'il m'arrive souvent de travailler vingt-quatre heures sur vingt-quatre.

Elle me dévisage longuement.

— Je nourris bien quelques fantasmes…

— Lesquels ?

— Eh bien, par exemple, si j'avais 100 000 dollars à perdre, je t'achèterais volontiers demain.

Je respire par petites bouffées.

— Je te ramènerais chez moi, je te battrais chaque jour – un peu plus chaque jour – pendant plusieurs semaines. Je te battrais puis je te baiserais, après quoi tu me ferais jouir avec ta bouche. Et tu en redemanderais. Tu passerais le plus clair de ton temps à genoux, enchaînée à la tête de mon lit en attendant de m'entendre rentrer.

« J'utiliserais un long fouet, que je suspendrais au mur de la chambre. Parfois, tu le fixerais pendant une bonne heure en tremblant. Tu finirais par perdre toute notion de temps et de lieu : tu ne rêverais plus que de moi.

« Tu sais que je suis très occupée. Lorsque j'ai vraiment besoin d'un peu de repos, je m'accorde une sieste sur ce canapé. Ce qui signifie que je peux rentrer à la maison à n'importe quelle heure. Soudain, tu dresserais l'oreille, tu mouillerais en croyant reconnaître mon pas, mais ce ne serait qu'un domestique qui t'apporterait de quoi manger.

« Il peut également m'arriver de ne pas rentrer du tout. Auquel cas je chargerais un employé de te battre à ma place. Tu apprendrais à dissimuler ta déception, et tu obéirais les yeux fermés à ce factotum venu me remplacer.

« Lorsque je me montrerais enfin, je t'obligerais à me présenter tes excuses pour tout, y compris pour les coups que tu aurais reçus. J'exigerais que tu te montres éloquente, que tu t'efforces de me convaincre du bien-fondé de me mettre à l'épreuve, que tu m'affirmes que tu en as besoin, et combien cela te ferait du bien.

« Tu t'exprimes avec beaucoup d'aisance. Trop, peut-être. Je veillerais à ce que tu utilises ton inventivité verbale à bon escient.

Je me cramponne aux bords de ma chaise. Je n'ai pas ingurgité de caféine ni d'alcool depuis plusieurs jours, et je ne fume pratiquement jamais. Ma tête tourne. Mon sexe brûlant est trempé. Margot se lève, fait le tour de la table et baisse les yeux vers moi.

— Déshabille-toi, Carrie.

Je balbutie en commençant à déboutonner ma robe.

— Je… Je croyais que vous trouviez ce rituel…

— Ferme-la. Sauf si tu veux encore recevoir la fessée.

Je me mets debout à mon tour pour me débarrasser de tous mes vêtements. Je ralentis un peu au moment d'ôter mes dessous. Margot sourit. Après quoi je me dépêche à nouveau.

— À genoux devant le canapé. Le dos au canapé et face à moi. Je t'autorise à me regarder.

— Oui, maîtresse. Merci, maîtresse.

— C'est bien, approuve Margot en retirant son chemisier de soie.

Elle a de petits seins ronds, à la pointe très sombre. Je les trouve magnifiques. Elle se dirige vers son bureau, sur lequel elle s'empare d'une enveloppe en papier kraft.

— Je veux que tu voies tes photos, dit-elle en me tendant deux clichés.

Puis elle s'assied derrière moi, sur le canapé. Je me retrouve entre ses jambes, tandis qu'elle pose les mains sur mes seins, les siens effleurant mes épaules.

— Elles te plaisent ? me murmure-t-elle à l'oreille. Réponds-moi franchement, esclave.

— Non, maîtresse.

Elle me tord méchamment les mamelons.

— Pour quelle raison ?

Ces photos ont été prises avec soin, elles ne négligent aucun détail. Margot a raison : Paul a fait là du bon travail. La lumière est crue. On croirait presque des clichés documentaires. Les marques sur mes fesses, les cernes sous mes yeux, la pâleur de ma peau… Ces images ne flattent ni le modèle ni celui ou celle qui le contemple, et pourtant cette âpreté constitue, à sa façon, une forme de compliment. Du moins, elle invite le spectateur à participer, à s'introduire dans le décor, fût-ce en imagination.

« Tiens, semblent dire les photographies. Si tu la veux, elle est à toi. Elle prendra tout ce que tu auras envie de lui donner : des caresses, des gifles, une queue, des coups… À toi de choisir. Alors, elle t'intéresse ? »

Les poses que j'ai prises sur ces clichés me remplissent d'effroi. Sur la vue de face, j'avance le bassin comme si je proposais quelque chose à manger. J'ai beau paraître à la fois choquée et scandalisée, je tiens la pose. Même dans la vue de dos, tandis que je continue de sangloter à cause des coups que j'ai reçus, je me tiens fermement campée sur mes deux pieds. Sans m'en rendre compte, j'ai accédé aux désirs de Paul et de Margot : j'ai exhibé mes ecchymoses. Je me présente avec provocation aux acheteurs éventuels. Je semble fière de la souffrance qu'on me fait endurer. Je m'expose aux yeux des étrangers, prête à supporter tout ce qui leur passera par la tête. Je me donne au plus offrant.

— Pour quelle raison, esclave ? répète Margot en me tordant si fort les tétins que la douleur me coupe le souffle.

— Elles me font peur, maîtresse.

Elle veut que j'en dise davantage, je le sais.

— On dirait que je meurs d'envie qu'on me fasse mal, je grommelle.

— Et... ? insiste-t-elle.

— J'ai l'air prête à me soumettre à n'importe qui. Et fière de l'être.

— Ce sont des clichés splendides, rectifie Margot en décrivant, de la main, des cercles sur mon ventre. À cet instant même, dans plusieurs palaces de cette ville, dans un certain nombre de pied-à-terre, des gens examinent ces photos. Ils sont en train de réfléchir : ont-ils envie de te baiser ? De te battre ? Est-il possible de te dresser assez pour t'obliger à devenir ce qu'ils voudraient que tu sois ? Tu es... Tu es comme un jeune vin rouge. Un beaujolais nouveau. Il lui manque encore de la profondeur, mais sa douceur flatte la langue et touche le cœur. Tout le monde ne l'apprécie pas, mais pour ceux qui l'aiment, il représente un plaisir unique en son genre.

Sa main est descendue jusqu'à l'entrée de mon vagin. Ses doigts cherchent lentement leur chemin. Je voudrais laisser tomber les photos sur le sol, mais je n'ose pas. Les yeux rivés sur elles, je sens Margot approcher du but. La voici au niveau de mon clitoris. Elle prend tout son temps. Je gémis. Cette fois, je lâche les clichés, pour me renverser contre les cuisses gainées de cuir, contre les seins nus de Margot, je m'abandonne à la caresse de ses cheveux, de ses lèvres sur mon cou. Soudain, tout s'arrête.

Passant une jambe au-dessus de moi avec agilité, elle se lève puis se retourne pour me faire face.

— Je te fouetterais, si je pouvais. J'adorerais te voir tressaillir et pleurer. Mais cela m'est impossible. Nous allons trouver autre chose.

Elle ouvre un tiroir, dont elle extirpe un entrelacs de cuir noir. Un harnais pour moi ? Non, me dis-je, l'esprit embrumé, un harnais pour elle. Elle met en place l'énorme godemiché. En plastique transparent – à sa vue, je ne peux m'empêcher de penser : « Phallus virtuel. » Elle fait glisser la fermeture de son pantalon, dont le cuir continue d'adhérer à ses cuisses comme une seconde peau. Son ventre plat, en revanche, se trouve tout à coup révélé. Elle se harnache prestement, sous mes yeux ébahis. Les lanières noires contre sa peau claire, le pénis transparent, l'insolent sourire, et ce regard intense…

Je me tiens toujours agenouillée au pied du canapé. Margot me fourre le gode dans la bouche, puis le pousse jusqu'au fond de ma gorge avant de le soulever un peu pour me contraindre à me mettre debout. Elle s'allonge alors sur le sofa, exigeant d'un geste que je m'empale sur sa queue. Je geins. Je vais et je viens au-dessus d'elle. Du bout des ongles, elle titille mes mamelons. Ses hanches oscillent imperceptiblement. Elle pose à présent les mains sur mes fesses, en presse la chair et m'invite à tanguer avec elle. Je la suis sans plus songer à rien, devinant son visage à travers les brumes de mon plaisir. Le gode-miché fore mon intimité, je crie de plus en plus fort jusqu'au hurlement de l'orgasme.

À peine ai-je le temps de récupérer que Margot me repousse pour me contraindre à me mettre à quatre pattes sur le sol. Elle se débarrasse de son harnais et attire ma bouche tout contre son sexe. Dès lors, je lèche, je suce, je grignote. Je veux la satisfaire de mon mieux. Je veux l'entendre crier. Elle crie. Elle me caresse à présent le dos, les fesses, tandis que je souffle un peu, la tête sur ses genoux.

Au bout d'un moment, elle laisse échapper un petit rire, qu'elle étouffe très vite. Elle me fait lever la tête pour m'offrir un long baiser sur les lèvres. Je ne la lâche plus.

— Croyez-vous que je vous reverrai un jour, après les enchères ? je lui demande dans un murmure.

Elle me mordille la nuque avant de répondre.

— Je possède une certaine influence. Je n'en fais pas usage souvent, ce qui en accroît l'efficacité. Si ce que je crois qui va se produire se produit pour de bon… eh bien… oui, peut-être me reverras-tu. Mais seulement après avoir reçu un dressage si implacable que tu m'auras presque oubliée.

Je lui coule un regard implorant.

— Non, décrète-t-elle. Je ne te fournirai aucune explication.

Je soupire, même si son refus ne me surprend pas.

— Mais je ne vous oublierai pas, dis-je en lui baisant la main.

— Tu ne m'oublieras pas, qui ? fait-elle sur un ton sévère.

— Je ne vous oublierai pas, maîtresse.

Je baisse les paupières. Fin de l'idylle.

Je n'ai pas envie de bouger, mais Margot se lève en quête de son chemisier. Après l'avoir passé, puis en partie boutonné, elle récupère mon bracelet sur sa table de travail. Toujours à genoux, je me dresse au garde-à-vous et tends passivement le bras afin qu'elle y passe le bijou.

— Debout, me commande-t-elle.

Puis elle me raccompagne à la porte de son bureau.

— Si tu as oublié comment regagner ta chambre, la balise t'aidera, bien sûr.

Bien sûr. Et déjà, des picotements me parcourent le poignet.

— Tu vas être très fatiguée demain matin, m'expose-t-elle en me poussant gentiment dans le couloir. Les autres esclaves, après leur tofu habituel, ont eu droit à des bains et des massages. À l'exception de ce jeune fou avec la queue-de-cheval qui, à l'heure qu'il est, se trouve sans doute encore à la cuisine, subvenant aux besoins de toutes les employées de cet établissement.

Margot glousse et m'embrasse sur le front. Je suis trop exténuée et trop repue pour ne pas rire à mon tour.

— Dors bien, Carrie.

Elle referme la porte. Tandis que je passe mon bracelet devant la balise pour tenter, malgré mon hébétude, de décrypter le schéma apparu sur l'écran, j'entends Margot pianoter furieusement sur le clavier de son ordinateur.

7

Et maintenant ?

Le lendemain matin, lorsque la bonne me réveille, je ne ris plus. Il fait encore sombre au-dehors, et je me sens fourbue. La domestique me donne le bain, puis me masse brièvement. De quoi me permettre de reprendre quelques forces. Sans doute la jeune femme sait-elle tout de mes frasques d'hier soir – avec quelle naïveté j'ai gobé l'histoire inventée par Margot. Je grimace à ce triste souvenir. Le dernier dîner. Très bien. Tout le monde a droit à son plat favori. Tu parles. Du saumon pour Carrie et… voyons… Pourquoi pas des bonbons pour Tommy, des œufs colorés pour Sue ? Bah. Après tout, j'ai passé un bon moment et je n'ai rien perdu dans l'aventure. Hors une poignée d'heures de sommeil. Et j'aime autant m'être ainsi occupée plutôt que de passer la nuit à me ronger les sangs dans l'attente du grand jour.

Me ronger les sangs ? Eh bien, nous y sommes : voilà précisément ce que je suis en train de faire. Car si c'est une chose que d'avoir cédé aux avances de Jonathan lors d'une soirée mondaine, c'en est une autre que de me livrer corps et âme à n'importe qui pendant un an. Ce « n'importe qui » aura de l'argent, je n'en sais pas davantage. Ce peut être une brute. Ce peut être un ou une imbécile. Quelqu'un pour qui je n'éprouverai pas la moindre attirance. En participant à ces enchères, je fais le choix de n'avoir plus le moindre choix. À y regarder de plus près, je m'étonne de ne pas ressentir un plus grand effroi, de vouloir aller jusqu'au bout de l'aventure. Pourquoi cette impatience en moi, cette vigueur ?...

J'engloutis mon riz soufflé avec appétit, j'abandonne mon corps à la jeune bonne : toilette, maquillage du visage. Après quoi elle fixe, aux deux anneaux de mon collier, deux petits écriteaux portant le numéro 14. Enfin, elle referme sur ma cheville gauche un mince fer glacé et me laisse seule dans la pièce.

Bientôt, mon bracelet se met à vibrer. Je sors dans le couloir où, pour la première fois, nous sommes plusieurs dizaines à converger dans la même direction – plusieurs dizaines d'esclaves nus, les seins ou la queue bondissants, la mine à la fois craintive et résolue. Nous marchons en procession vers le Jardin.

Lorsque j'atteins ma destination, un garde, vêtu d'un élégant uniforme et équipé d'un talkie-walkie, me confisque mon bracelet, vérifie mon numéro puis me pousse vers la file de soumis qui ne cesse de s'allonger. Les opérations se déroulent si vite et avec une telle fluidité que j'ai à peine le temps de réfléchir. Dans le Jardin, où se pressent de futurs acheteurs en tenue chic, on a dressé de superbes tentes et tendu des banderoles de soie richement ornées ; on se croirait dans un livre d'heures médiéval. Au centre trône une estrade, flanquée de piédestaux sur lesquels se tiennent déjà des esclaves.

Le vigile posté à l'entrée souffle quelque chose à l'oreille de la première soumise de la file d'attente – je ne distingue d'elle que des cheveux d'un blond cendré cascadant jusqu'au bas de ses reins, ainsi que de belles jambes interminables. Une trompette retentit, à quoi le garde réagit en assenant une claque vigoureuse sur les fesses de la jeune femme. Elle se rue vers l'espace demeuré libre à l'avant de la scène, où un autre garde l'attend. Elle fait volte-face, s'agenouille puis baise le sol, tournée vers la foule, tandis qu'un présentateur énonce son numéro de lot et celui de la page où l'on peut en apprendre plus sur elle. Un troisième garde la saisit par le poignet pour l'entraîner vers un piédestal. Déjà l'esclave suivant se précipite à son tour. Avec une telle grâce que je me demande comment je… C'est à moi.

J'entends à peine les instructions qu'on me murmure à l'oreille, mais, à force d'observer, j'ai retenu la marche à suivre. Simplement, je ne peux… Je ne peux pas… Il y a trop de monde ici, j'ai commis une terrible erreur, je vais m'éclipser pour regagner

furtivement ma chambre où, plus tard, je reconsidé-
rerai l'ensemble de la situation… Mais une main
claque sur ma fesse – je l'entends plus que je n'en
éprouve la brûlure. Je cours, sans rien sentir d'autre
que la douceur des dalles sous mes pieds nus, ainsi
que quelques milliers de regards braqués sur moi.
Voici le garde. Stop. Demi-tour. S'agenouiller et
baiser le sol. Il ne me reste plus qu'à suivre l'homme
jusqu'à ce piédestal, en passant devant un groupe de
personnes qui me scrutent avec intensité. Je
reconnais Chloé, qui s'esclaffe en se tournant vers
Francis et André. Je reconnais plusieurs garnements
qui, un matin, sont venus dans ma chambre pour
que je les suce – ce souvenir les met en joie. Je
reconnais Margot au loin, les sourcils froncés, supervisant les opérations à la façon d'un chef d'orchestre
(elle doit entendre résonner une symphonie entière
dans sa tête). Je reconnais Jonathan qui, le teint pâle,
me dévore des yeux en tirant sur sa cigarette. Je
reconnais enfin Kate Clarke, joyeusement pendue au
bras de Jonathan – qu'elle entraîne parmi la cohue.

Le garde attache, au fer de ma cheville, l'extrémité
d'une longue chaîne scellée dans le piédestal.

— Lève la tête, grommelle-t-il. Baisse les yeux. Et
respire.

Judicieux conseil, après ma cavalcade. Une heure
durant, les acheteurs ont le droit de nous examiner
avant le début des enchères. Que de regards sur moi,
de doigts qui effleurent, qui pressent, qui poussent,
que de rires, de commentaires échangés – j'aime

autant que ces derniers soient énoncés dans des langues que je ne maîtrise pas. L'arabe, par exemple. Le japonais. Je garde les paupières baissées. Je respire. Je tâche de ne pas fixer mon attention sur une personne en particulier – de la foule j'ai fait un être unique, un être tourbillonnant aux bras innombrables, comme Shiva ; aux mille têtes, comme l'hydre. Un être unique, somptueusement vêtu, polyglotte et multicolore.

Je suis d'autant plus surprise de sentir soudain cette foule se fendre. Je lève les yeux, je les lève à peine, assez pour découvrir le reflet désormais familier d'une paire de lunettes noires. Comme je baisse de nouveau les paupières, une pensée se forme dans mon esprit confus : aucun chef de la sécurité ne gagne assez d'argent pour s'offrir les chaussures sur lesquelles mon regard vient de se poser. Je sens alors des doigts froids et secs écarter mes fesses comme on le ferait de deux quartiers de mandarine.

— Regarde, Stefan, lance en anglais une voix à l'accent étranger. Ça a été comme ça toute la semaine. Cette expression sur son visage. Elle ne peut pas s'en empêcher, ça transparaît en dépit de la formation qu'elle a reçue. Une passion absolue pour l'obéissance. Qu'en penses-tu ?

La voix qui répond à celle-ci me semble moins nette, mais de toute façon je n'entends pour ainsi dire plus rien. Car, à cet instant, je m'abandonne entièrement à la réaction que provoquent en moi ces doigts qui me pénètrent. Je veux que ces doigts me contraignent à agir, qu'ils m'obligent à faire quelque chose de difficile et de douloureux, quelque chose que jamais encore je n'ai tenté mais à quoi je consacrerai toute mon énergie si cet inconnu continue de me sonder ainsi. Mais je me rappelle soudain où nous sommes. Je risque de tout perdre si je jouis. Je ne dois pas céder aux tremblements, aux sanglots ou aux cris. Mon ventre frissonne. L'homme, qui s'en est aussitôt aperçu, le caresse puis ôte ses doigts de mon anus. Ouf.

— Elle a beaucoup à apprendre, dit-il doucement à Stefan, dont je ne devine, entre mes cils baissés, qu'une paire de bottes de cow-boy noires, en peau de serpent. Pourtant, j'ai l'impression que nous nous comprenons, elle et moi. Tu ne crois pas ?

Plus tard, on me conduit sous le vaste chapiteau de soie rose et bleu qui se trouve à l'arrière de l'estrade, pour m'y préparer aux enchères. Un grand type en costume de cuir ringard – George, je suppose – me bâillonne en silence, m'installe à plat ventre sur ses genoux et, sans manifester la moindre émotion, m'administre la plus terrible fessée de toute mon existence. Je sors de cette brève séance secouée de sanglots, haletante. George me fait un brin de toilette avant de me réconforter doucement – il me caresse le front, m'embrasse sur la joue. Tout rentre peu à peu dans l'ordre, à la notable exception de mon cul. Mais voilà qu'on me tire sur la scène sans préavis. Je me rappelle vaguement les directives reçues avant la fessée : m'agenouiller puis baiser le sol aux pieds du commissaire-priseur. Ce dernier s'attire l'attention de l'assistance en jouant les étonnés devant mon derrière rose vif, qu'il s'empresse d'exposer longuement aux yeux de tous pour leur faire partager son émoi. Il me demande si je souffre et, lorsque je lui réponds « Oui, maître », il me pince une fesse de toutes ses forces. Je ne peux retenir quelques larmes, qui roulent sur mes joues, mais je tire beaucoup de fierté de réussir à ne pas m'effondrer en sanglots – de discrets applaudissements, ici et là, semblent d'ailleurs saluer mon sang-froid. Je m'efforce à nouveau de respirer comme on m'a appris à le faire pendant les cours de yoga.

La vente s'ouvre immédiatement après. Le commissaire-priseur, qui m'a empoignée sans ménagement par le bras, m'oblige à tourner un peu sur moi-même quand il juge mes mouvements trop lents. Il expose ainsi diverses parties de mon corps, ajoutant qu'à l'intérieur de mon dossier se trouve une lettre de Kate Clarke. Il précise encore que je suis capable de recevoir mes punitions en français. Autant d'« atouts » supplémentaires aux yeux d'un acheteur éventuel. Plusieurs projecteurs se trouvant braqués vers la scène, il m'est impossible de distinguer les enchérisseurs. Je reconnais cependant la voix de Kate, dont je suis prête à parier qu'elle n'a aucune intention de m'acquérir : elle taquine Jonathan, c'est tout, stimulant peut-être au passage son ego de propriétaire en faisant grimper mon prix de vente. Dans le fond, je suis un peu déçue qu'elle se contente de jouer.

Plus que tout, je me sens hébétée. La fessée, les séances de pose, le déchirement que j'ai éprouvé lorsque le dernier acheteur potentiel m'a examinée… La pleine conscience aussi – enfin – que cette superproduction et ces rituels extravagants auront bientôt des conséquences sur mon existence réelle. Ici est en train de se décider une année de ma vie. Il ne me reste plus qu'à attendre de découvrir dans quel guêpier je me suis fourrée. Puis le marteau du commissaire-priseur s'abat une dernière fois. « Vendue. À monsieur Constant pour une année, au prix de 92 500 dollars. »

On ôte le fer à ma cheville, de même que le collier auquel pend encore le numéro 14, puis on m'entraîne vers une petite tente à l'arrière de l'estrade, où l'on m'ordonne de me préparer. Un jeune homme vêtu de noir, les cheveux serrés en courte queue-de-cheval et arborant aux pieds les bottes de cow-boy que j'ai repérées tout à l'heure, se présente quelques minutes plus tard. Il s'appelle Stefan, me dit-il. Il est le secrétaire de M. Constant. Il a la mine grave, mais non dénuée de cordialité.

— À genoux, me commande-t-il. Ce que tu as besoin de savoir, tu l'apprendras en temps et en heure, mais, avant que nous partions, je vais te fournir quelques informations, te présenter brièvement le monde qui t'attend : M. Constant passe une partie de l'année sur une île grecque, l'autre à

Manhattan. Il consacre son temps, d'une part, à gérer sa fortune – épaulé par une équipe de fidèles collaborateurs – et, d'autre part, à imposer une discipline de fer à ses esclaves. Par « esclaves », je veux dire toi et un garçon prénommé Tony. Il me faut encore mentionner un dresseur, chargé de s'occuper de Tony et de toi lorsque nous serons trop occupés ou que nous serons absents.

« Nous » ? me dis-je. De quoi d'autre les « fidèles collaborateurs » s'occupent-ils encore ? Celui-ci, en tout cas, possède une bouche superbe.

— Tiens-toi correctement, me met en garde Stefan, qui a surpris mon coup d'œil. M. Constant est un homme très méticuleux, mais très juste. Généreux, aussi. Il fourmille d'idées et raffole des bonnes affaires – il s'est beaucoup amusé lors de cette vente aux enchères. De temps à autre, il organise des réceptions fabuleuses. Tu aurais pu tomber nettement plus mal. En revanche, il va te falloir apprendre très vite…

Je hoche la tête. Comme si je ne m'en doutais pas.

Stefan me remet une paire de bottes noires à hauts talons, qu'il m'ordonne d'enfiler, puis de lacer. Pendant que je m'exécute, il sort de sa poche une enveloppe, qu'il me tend. Je l'ouvre. Je lis :

Chère Carrie,

Tu t'apprêtes à poursuivre ta route avec bravoure et succès. Dans un an, tu seras devenue bien davantage que celle que tu es aujourd'hui. Je t'ai vendue aux enchères pour savoir si nous étions, toi et moi, capables d'aller au bout de cette aventure. Je m'y suis également résolu parce que, sinon, j'aurais mis un terme à nos jeux. J'aurais, dès lors, tenté de devenir ton ami. Ou ton amant. Ou que sais-je encore. Je t'aurais emmenée au cinéma afin de découvrir si nous apprécions les mêmes films. Et, pour être honnête, ces envies ne me quittent pas. Cela me surprend et me trouble. Le 15 mars prochain, je me trouverai place de l'Horloge, à Avignon. Deux semaines plus tôt, ton contrat d'esclavage sera arrivé à échéance. Rejoins-moi si tu le souhaites. Je te reconnaîtrai à tes lunettes de soleil et tes vieux godillots. Si nous dînons, tu pourras payer ta part. Et puis tiens : Constant va si bien faire fructifier ton pécule que tu pourras même m'inviter !

Salut,

J.

PS : J'ai lu *Mozart en verres miroirs* après ton départ. Tu as raison, c'est un bon livre, dont j'ai pensé que tu aurais envie de le terminer. Je le joins donc à cette lettre. Tu le récupéreras là où on t'emmène. Là-bas, tu seras autorisée à lire pour te détendre.

La fureur m'envahit. J'ai envie de taper des pieds dans mes nouvelles bottes. Égoïste, enfant gâté, salaud. Tu es injuste. Romantique invétéré, amateur.

Dire que je viens d'endurer un nombre incalculable d'épreuves et que c'est maintenant qu'il se décide à me livrer ses confessions de mâle tout à coup mièvre et contrit. Il m'avait promis, au début de notre relation, de me fournir une trame narrative capable d'accueillir mes fantasmes – qui aurait pu penser alors que le récit prendrait des allures de roman à l'eau de rose ?

Soudain, l'humour de la situation m'apparaît. Oh Jonathan, on sait que la plupart des hommes ont peur de s'engager, mais tu auras battu tous les records : vois donc jusqu'où tu es allé pour t'abstenir de me proposer un cinéma. Une invitation à dîner ? Ne l'envisageons même pas. Et je ris sous cape en songeant à l'adresse dont Margot, à l'inverse, a fait preuve pour parvenir à ses fins, alors que les circonstances ne s'y prêtaient absolument pas. Je froisse la lettre et m'apprête à la jeter, mais, au dernier moment, je me ravise. Très lentement, je la défroisse. On m'a remis plut tôt un coffret métallique où déposer les documents officiels dont je n'aurai pas besoin durant les douze mois à venir. Mon acte de naissance, mon permis de conduire, mon carnet de chèques, mes diplômes. Et ce ridicule petit contrat que Jonathan m'a fait signer, stipulant que je ne pourrai accéder de nouveau à mes 654 dollars d'économies qu'au terme de mon contrat. Une série de quatre photomatons sur lesquels Stuart et moi rions à gorge déployée en faisant des grimaces. Stuart. Stuart exigera de lire cette lettre, me dis-je en la glissant dans le coffret avant d'en refermer le couvercle. Je me réjouis de pouvoir boucler bientôt la lecture de *Mozart en verres miroirs*. Laquelle de ces nouvelles Jonathan a-t-il aimée le plus ?…

Stefan range le coffret dans sa serviette, à l'intérieur de laquelle j'aperçois mon dossier. Puis il m'enveloppe dans une grande cape noire à l'étoffe rêche. Nous regagnons le Jardin, empruntons un autre couloir et quittons le bâtiment, devant lequel M. Constant patiente à bord de sa limousine. Je monte à côté de lui. J'attends qu'il me dise comment le saluer.

Note de l'auteur

J'ai écrit cette aventure SM, mettant en scène une très jeune intellectuelle, au début des années 1990, mais, pour en retracer la genèse, il faut remonter une douzaine d'années en arrière, le jour où l'une de mes amies m'a demandé si je comptais me rendre à la marche d'action directe « Take Back the Night ». Celles et ceux d'entre vous qui connaissent le féminisme des années 1970 se rappelleront forcément ces manifestations de femmes, organisées dans les quartiers chauds des villes afin de dénoncer la pornographie ambiante. Or, quelque chose me gênait dans ces actes de protestation, sans que je comprenne encore quoi.

— Non, ai-je répondu à mon amie. Non, je n'irai pas manifester.

— Mais pourquoi ?

J'ai invoqué en bredouillant le Premier Amendement, mais je savais que mes arguments manquaient de franchise.

— Pour tout dire, ai-je fini par lâcher, c'est plutôt à cause de ce que j'ai vécu étant plus jeune, à l'adolescence et un peu au-delà. À l'époque, avant de m'intéresser au féminisme, j'ai lu beaucoup de pornos SM.

J'avais en effet dévoré de nombreux romans de Sade. Lu et relu maintes fois *Histoire d'O* – ainsi que ses pâles imitations. Rien, dans ces pages, ne m'avait heurtée. J'avais pénétré résolument dans ces univers, je m'y étais abandonnée avec délices, ne refermant ces livres qu'au milieu de la nuit. Fascinée par ces récits, je succombais à leur charme sans jamais me soucier de séparer le sexe et l'intellect, sans faire le tri entre les jeux de pouvoir et la créativité.

Après quoi, plusieurs années durant, je n'y ai plus songé, mais j'ai su d'instinct qu'il m'était impossible de soutenir un mouvement déterminé à « protéger » les femmes des plaisirs troubles dont j'avais jadis fait l'expérience.

Plus je songeais à ce que je venais de révéler à mon amie, plus je brûlais de retrouver la jeune femme que j'avais été. Je voulais renouer avec sa sexualité naissante, afin de découvrir comment elle avait bien pu devenir si intelligente (elle qui se jugeait alors complètement stupide). Au fil des années, je m'étais initiée à la politique et aux théories littéraires, mais le « moi » d'autrefois avait succombé à l'attrait des romans pornographiques de manière instinctive, sans être encore capable d'analyser quoi que ce soit.

Il va de soi que je n'ai pas replongé seule dans l'érotisme de l'écriture et de la lecture (pour être tout à fait honnête, les *baby-boomers* ne savent rien faire seuls). Il m'a suffi de regarder autour de moi : ce qu'on a pu qualifier de « guerre des sexes » a fait rage au sein des mouvements féministes tout au long des années 1980. Les féministes discutaient de pornographie et de censure. Plus important encore, nous réfléchissions au lien possible entre l'expression sexuelle et l'action, entre la nature et la culture. À l'époque, j'ai beaucoup lu et beaucoup écouté, prenant de formidables leçons auprès des militantes les plus intrépides (qui étaient aussi, parfois, les plus menacées) du « féminisme pro-sexe » – je songe en particulier à Susie Bright, Gayle Rubin ou Amber Hollibaugh.

J'ai appris davantage encore au contact des diverses productions de la « pornographie féministe » qui, pour mon plus grand bonheur, se sont alors multipliées. Ces œuvres entendaient populariser les conventions du *bondage* et de la domination, tout en refusant catégoriquement de se rendre complices de quelque type de persécution que ce soit. À l'exception notable d'Anne Rice, on notera qu'on doit essentiellement les ouvrages de pornographie féministe à des lesbiennes, des gays ou des bisexuels des deux sexes, qui s'exprimaient avec toute la verve de celle ou de celui qui parvient à faire entendre enfin sa voix. Pour ma part, je suis hétérosexuelle et mariée, mais je me suis délectée des productions du groupe SAMOIS, dévorant les livres de Pat Califia, de Carol Queen et de John Preston.

Grâce à eux, il me semblait revisiter un peu les romans pornographiques français que j'avais lus bien des années plus tôt. Mais, sous d'autres aspects, cette littérature de l'extrême fin du XXe siècle portait les marques indélébiles de son époque. Cette pornographie-là – confiante, optimiste, nourrie de la sagesse acquise via les mouvements de « prise de conscience », ainsi que d'une forme inédite de « sexpertise » – croyait aux relations librement consenties, à l'épanouissement et aux *happy ends.*

J'y croyais aussi. À ceci près que, sur un plan plus privé, je continuais à me repaître de mes récits d'antan – que mon mari qualifiait de « porno donjon ». Je l'avoue, je ne résiste pas à ces attraits : les lourdes portes se referment derrière vous ; vous voilà ligotée, bâillonnée, seule désormais avec votre terreur et votre désir.

J'avais également envie d'attirer l'attention sur l'humour pince-sans-rire qui sous-tend le bavardage philosophique produit par une Justine ou une O entravée. Peut-être avais-je, tout bonnement, lu trop d'auteurs français. Quoi qu'il en soit, je désirais un peu plus de théorie. Par exemple, comment l'esprit et le corps se liguaient-ils pour produire ces histoires ? J'ai fini par penser que je ne répondrais à mes questions qu'en choisissant d'en raconter une moi-même…

DU MÊME AUTEUR
AUX PRESSES DU CHÂTELET

PLAISIRS INTERDITS

Carrie a été vendue aux enchères par Jonathan, l'homme qui l'a initiée aux plaisirs des sens.

Mais son nouveau propriétaire, le mystérieux et richissime M. Constant, estime que la jeune femme n'a pas encore donné tout son potentiel.

Aussi l'accompagne-t-il en Grèce, où Carrie est confiée à un spécialiste du dressage, chargé de parachever son éducation. À condition qu'elle se montre une élève assidue…
Et soumise.

Collection « Nouvelles sensations »

« Un roman intrigant, dérangeant,
et superbement écrit. »
San Francisco Chronicle

978-2-84592-520-5 / H 51-2443-3 / 320 pages / 19,95 €

Lysa S. Ashton
DE CUIR ET DE SOIE

« Je ne suis pas une nymphomane. Je suis une Initiée. Nous, les Initiés, avons accepté des règles extrêmement sévères. Nous savons que le plaisir est dans la soumission, l'obéissance à un maître : le Prince. »

C'est Alice, 35 ans, qui parle. Conseillère d'un politicien influent de la ville, elle vient de rencontrer l'homme qui a libéré le don qui sommeillait en elle depuis l'adolescence. Elle peut désormais assouvir toutes les tonalités de son plaisir…

Roman d'apprentissage sensuel où se réalisent les désirs et les fantasmes les plus secrets, les plus inavouables, *De cuir et de soie* vous envoûtera…

Lysa S. Ashton *est le pseudonyme d'une consultante politique réputée aux États-Unis. Elle est aussi une figure de la nuit new-yorkaise.*

Collection « Nouvelles sensations »

978-2-8098-1034-9 / H 51-0998-8-0 / 272 pages / 18,95 €

Cet ouvrage a été composé
par Facompo
à Lisieux (Calvados)

Imprimé par

BLACKPRINT IBERICA

pour le compte des Éditions Archipoche
en mars 2014

Imprimé en Espagne
Nº d'édition : 297
Dépôt légal : avril 2014